RIEN OÙ POSER SA TÊTE

FRANÇOISE FRENKEL

Rien
où poser sa tête

Préface de
PATRICK MODIANO

Dossier réuni par
Frédéric Maria

l'arbalète gallimard

l'arbalète
collection dirigée par
Thomas Simonnet

Préface

L'exemplaire de *Rien où poser sa tête* dont on m'a dit qu'il avait été trouvé récemment à Nice dans un déballage des compagnons d'Emmaüs m'a causé une curieuse impression. Peut-être parce qu'il avait été imprimé en Suisse au mois de septembre 1945 pour la maison d'édition Jeheber de Genève. Cette maison d'édition qui n'existe plus avait publié en 1942 *L'aventure vient de la mer*, une traduction française d'un roman de Daphné Du Maurier, paru à Londres l'année précédente, l'un de ces romans anglais ou américains interdits par la censure nazie et que l'on vendait sous le manteau et même au marché noir dans le Paris de l'Occupation.

On ne sait pas ce qu'est devenue Françoise Frenkel après la parution de *Rien où poser sa tête*. À la fin de son livre, elle nous raconte comment, de Haute-Savoie, elle a franchi en fraude la frontière suisse en 1943. D'après l'indication qui figure au bas de la page de garde, elle a écrit *Rien où poser sa tête* en Suisse, « sur les bords du lac des Quatre-Cantons, 1943-1944 ». Il y a parfois d'étranges coïncidences : quelques mois auparavant, en novembre 1942, dans une lettre de Maurice Sachs envoyée d'une maison de l'Orne où il s'était réfugié, je retrouve au détour d'une phrase le titre du livre de Françoise Frenkel : « Il paraît que c'est un peu ma ligne, sinon ma destinée, de *n'avoir pas où reposer ma tête.* »

Quelle a été la vie de Françoise Frenkel après la guerre ? Jusqu'à ce jour, les rares renseignements que j'ai pu recueillir sur elle sont les suivants : elle évoque dans son récit la librairie française qu'elle avait créée à Berlin au début des années vingt – l'unique librairie française de la ville – et qu'elle aurait dirigée jusqu'en 1939. Au mois de juillet de cette année-là, elle quitte Berlin en catastrophe pour Paris. Mais dans une étude de Corine Defrance : « La Maison du Livre français à Berlin (1923-1933) », nous apprenons qu'elle s'occupait de cette librairie avec son mari, un certain Simon Raichenstein, dont elle ne dit pas un mot dans son livre. Ce mari fantôme aurait quitté Berlin à la fin de l'année 1933 pour la France avec un passeport Nansen. Une carte d'identité lui aurait été refusée par les autorités françaises qui lui auraient envoyé un avis d'expulsion. Mais il est resté à Paris. Il est parti de Drancy pour Auschwitz dans le convoi du 24 juillet 1942. Il était né en Russie, à Moguilev, et aurait habité dans le XIVe arrondissement.

On retrouve la trace de Françoise Frenkel parmi les archives d'État de Genève dans la liste des personnes enregistrées à la frontière genevoise durant la Seconde Guerre mondiale, c'est-à-dire celles qui ont obtenu l'autorisation de rester en Suisse après leur passage de la frontière. Cette liste nous indique ses véritables nom et prénoms :

Raichenstein-Frenkel, Frymeta, Idesa ; sa date de naissance : 14-07-1889, et son pays d'origine : la Pologne.

Une dernière trace de Françoise Frenkel, quinze ans
plus tard : un dossier d'indemnisation à son nom daté
de 1958. Il s'agit d'une malle qu'elle avait déposée en
mai 1940 au garde-meuble « Colisée », 45 rue du Colisée
à Paris, et qui a été saisie le 14 novembre 1942 comme
« bien juif ». Elle obtient, en 1960, une indemnité de
3500 marks pour la spoliation de sa malle.

Que contenait-elle ? Un manteau en peau de ragondin.
Un manteau au col d'opossum. Deux robes de laine. Un
imperméable noir. Une robe de chambre de chez Grün-
feld. Un parapluie. Une ombrelle. Deux paires de chaussures. Un sac à main. Un coussin chauffant. Une machine
à écrire Erika portable. Une machine à écrire Universal
portable. Gants, chaussettes et mouchoirs...

Est-il vraiment nécessaire d'en savoir plus ? Je ne crois
pas. Ce qui fait la singularité de *Rien où poser sa tête* c'est
qu'on ne peut pas identifier son auteur de manière précise. Ce témoignage de la vie d'une femme traquée dans
le sud de la France et en Haute-Savoie pendant la période
de l'Occupation est d'autant plus frappant qu'il semble le
témoignage d'une anonyme, comme l'est resté longtemps
Une femme à Berlin, publié lui aussi en Suisse, dans les
années cinquante.

Si l'on songe aux premières lectures d'œuvres littéraires
que l'on faisait vers quatorze ans, on ne savait rien non
plus de leurs auteurs, qu'il s'agisse de Shakespeare ou de
Stendhal. Mais cette lecture naïve et directe vous marquait pour toujours, comme si chaque livre était une sorte

de météorite. À notre époque, l'écrivain se montre sur les écrans de télévision et dans les foires du livre, il s'interpose sans cesse entre ses œuvres et ses lecteurs et devient un voyageur de commerce. On regrette le temps de notre enfance où on lisait *Le Trésor de la Sierra Madre* signé sous un faux nom : B. Traven, par un homme dont ses éditeurs eux-mêmes ignoraient l'identité.

Je préfère ne pas connaître le visage de Françoise Frenkel, ni les péripéties de sa vie après la guerre, ni la date de sa mort. Ainsi son livre demeurera toujours pour moi la lettre d'une inconnue, oubliée poste restante depuis une éternité et que vous recevez par erreur, semble-t-il, mais qui vous était peut-être destinée. Cette curieuse impression que j'ai éprouvée en lisant *Rien où poser sa tête*, c'était aussi d'entendre la voix d'une personne dont on ne distingue pas le visage dans la pénombre et qui vous raconte un épisode de son existence. Et cela m'a rappelé les trains de nuit de ma jeunesse, non pas « en sleeping » mais dans les compartiments des places assises où il se créait une intimité très forte entre les voyageurs et où quelqu'un, sous la veilleuse, finissait par vous faire des confidences ou même des aveux, comme dans le secret d'un confessionnal. Ce qui donnait de la force à cette brusque intimité, c'était le sentiment qu'on ne se reverrait sans doute jamais plus. Brèves rencontres. On en garde un souvenir en suspens, le souvenir d'une personne qui n'a pas eu le temps de tout vous dire. Il en va ainsi du livre de Françoise Frenkel, rédigé il y a soixante-dix ans mais dans la confusion du présent et sous le coup de l'émotion.

J'ai fini par découvrir l'adresse de la librairie que tenait

Françoise Frenkel : Passauer Strasse 39 ; téléphone :
Bavaria 20-20, entre le quartier de Schöneberg et celui
de Charlottenburg. Je les imagine dans cette librairie,
elle et son mari, qui est absent de son livre. Au moment
où elle l'écrivait, elle ignorait sans doute quel avait été
son sort. Simon Raichenstein avait un passeport Nansen,
puisqu'il faisait partie de ces émigrés originaires de
Russie. On en comptait plus de cent mille au début des
années vingt, à Berlin. Ils s'étaient fixés dans le quartier de Charlottenburg, que l'on appelait à cause de cela
« Charlottengrad ». Beaucoup de ces Russes blancs parlaient français et je suppose qu'ils étaient les principaux
clients de la librairie de M. et Mme Raichenstein. Vladimir
Nabokov, qui habitait le quartier, a franchi sans doute
un soir le seuil de cette librairie. Pas besoin de consulter
les archives et de rechercher des photos. Je crois qu'il
suffit de lire les nouvelles et les romans « berlinois » de
Nabokov, qu'il écrivit en langue russe et qui sont la partie
la plus émouvante de son œuvre, pour retrouver la trace
de Françoise Frenkel à Berlin. On l'imagine dans les
avenues crépusculaires et les appartements mal éclairés
que décrit Nabokov. En feuilletant *Le Don*, le dernier
roman que Nabokov écrivit en russe et qui est un adieu
à sa langue maternelle, on trouve la description d'une
librairie qui devait ressembler à celle de Françoise Frenkel
et de l'énigmatique Simon Raichenstein. « Traversant la
place Wittenberg, où, comme dans un film en couleurs,
des roses frémissaient sous la brise autour d'un antique
escalier qui descendait dans une station de métro, il se
dirigea vers la librairie... Il y avait encore de la lumière...

On servait encore des livres aux chauffeurs de taxis de nuit, et il remarqua à travers l'opacité jaune de la vitrine la silhouette de Micha Berezovski... »

Dans les cinquante dernières pages de son livre, Françoise Frenkel évoque une première tentative qui échoue de franchir la frontière suisse. On l'emmène à la gendarmerie de Saint-Julien en compagnie de « deux jeunes filles en larmes, d'un garçonnet hébété et d'une femme épuisée de fatigue et de froid ». Elle est transférée le lendemain en autocar, avec d'autres fugitifs arrêtés, à la prison d'Annecy.

Je suis sensible à ces pages pour être resté de longues années dans cette région de Haute-Savoie. Annecy, Thônes, le plateau des Glières, Megève, le Grand-Bornand... Le souvenir de la guerre et des maquis y était encore vivace à cette époque de mon enfance et de mon adolescence. Empreintes digitales. Menottes. Elle passe devant une sorte de tribunal. Par chance elle est condamnée au « minimum avec sursis et déclarée libre ». Le lendemain, c'est pour elle la levée d'écrou. À la sortie de la prison, elle marche sous le soleil dans les rues d'Annecy. Le chemin qu'elle suit au hasard m'est familier. Elle entend le murmure d'un jet d'eau que j'entendais aussi, les débuts d'après-midi de silence et de très grande chaleur près du lac, au bout de la promenade du Pâquier.

Sa deuxième tentative de traverser en fraude la frontière suisse sera la bonne. Je prenais souvent à la gare routière d'Annecy un car qui m'emmenait à Genève. J'avais remarqué qu'il franchissait la douane sans qu'il y ait jamais le moindre contrôle. Pourtant, à l'approche de la frontière, du côté de Saint-Julien-en-Genevois, je sentais un léger pincement au cœur. Peut-être qu'il planait encore le souvenir d'une menace dans l'air.

PATRICK MODIANO

RIEN OÙ POSER SA TÊTE

Note : La présente édition de *Rien où poser sa tête* est conforme à l'édition originale de 1945. Nous n'avons procédé à aucune coupe ou aménagement du texte. Seules quelques coquilles et fautes d'usage ont été corrigées pour l'agrément de la lecture. Toutes les notes de bas de page sont de l'auteur.

AVANT-PROPOS

Il est du devoir des survivants de rendre témoignage afin que les morts ne soient pas oubliés, ni méconnus les obscurs dévouements.

Puissent ces pages inspirer une pensée pieuse pour ceux qui se sont tus à jamais, épuisés en route ou assassinés.

Je dédie ce livre aux HOMMES DE BONNE VOLONTÉ *qui, généreusement, avec une vaillance infatigable, ont opposé la volonté à la violence et ont résisté jusqu'au bout.*

Cher lecteur, veuille leur porter l'affection reconnaissante que toute action magnanime mérite!

Je pense de même à mes amis suisses qui m'ont tendu la main au moment où je me sentais sombrer et au sourire clair de mon amie Lie, qui m'a aidé à continuer de vivre.

F. F.

*En Suisse, sur les bords
du lac des Quatre-Cantons,
1943-1944.*

I

AU SERVICE DE LA PENSÉE FRANÇAISE EN ALLEMAGNE

Je ne sais à quel âge remonte, en réalité, ma vocation de libraire. Toute petite, je pouvais passer des heures à feuilleter un livre d'images ou un grand volume illustré.

Mes cadeaux préférés étaient des livres qui s'empilaient sur des étagères le long des murs de ma chambre de fillette.

Pour mes seize ans, mes parents me permirent de commander une bibliothèque de mon goût. Je fis construire, d'après mon plan, une armoire qui, à l'étonnement du menuisier, devait avoir les quatre faces vitrées. J'installai ce meuble de mes rêves au milieu de ma chambre.

Pour ne pas gâter ma joie, ma mère me laissait faire et je pouvais contempler mes classiques dans leurs belles reliures des éditeurs et les auteurs modernes et contemporains pour lesquels je choisissais moi-même amoureusement les reliures de ma fantaisie.

Balzac se présentait revêtu de cuir rouge, Sienkiewicz de maroquin jaune, Tolstoï de parchemin, *Paysans*, de Reymont, habillé dans l'étoffe d'un ancien fichu paysan.

Plus tard, l'armoire prit sa place auprès du mur, tendu

d'une belle cretonne claire et ce changement ne diminua point mon enchantement.

Bien du temps s'écoula depuis...

La vie m'avait amenée, pour de longues années d'études et de travail, à Paris.

Tous mes instants de loisir se passaient le long des quais, devant les vieilles boîtes humides des bouquinistes. J'y dénichais parfois un livre du xviiie siècle, qui, à cette époque, m'attirait tout particulièrement. Parfois, je croyais avoir mis la main sur un document, un volume rare, une lettre ancienne ; joie toujours nouvelle, bien qu'éphémère.

Souvenirs !

La rue des Saints-Pères, avec ses boutiques poussiéreuses et sombres, lieux de trésors accumulés, monde d'investigations merveilleuses ! Temps enchanteurs de ma jeunesse !

Et les longues stations au coin de la rue des Écoles et du boulevard Saint-Michel, chez ce grand libraire qui envahissait le trottoir. Les lectures en diagonale dans les volumes aux pages non découpées, au milieu des bruits de la rue : klaxons des voitures, bavardages et rires d'étudiants et de jeunes filles, musique, refrains des chansons en vogue...

Loin de distraire les lecteurs, ce brouhaha faisait partie de notre vie d'étudiants. Si ce mouvement avait disparu et si ces voix s'étaient éteintes, on n'aurait tout simplement pas pu continuer la lecture au coin du boulevard : une singulière oppression se serait emparée de nous tous...

Mais heureusement rien de tel n'était à craindre alors.

Certes, la guerre avait réduit de quelques notes le diapason de la gaieté générale, mais Paris vivait sa vie d'activité, d'insouciance. La jeunesse du Quartier latin frémissait, la chanson au coin des rues vibrait toujours et l'amateur de livres continuait sa lecture à la dérobée, devant les tables chargées des trésors que les éditeurs et les libraires mettaient si généreusement à la disposition de tous, avec une bienveillance affable, un parfait désintéressement.

★

À la fin de la première guerre, je revins dans ma ville natale. Après les premiers épanchements de ma joie d'avoir retrouvé les miens sains et saufs, je me précipitai dans ma chambre de jeune fille.

Je m'arrêtai sidérée! Les murs étaient nus : la cretonne, ornée de fleurs, avait été habilement décollée et enlevée. Il ne restait que des journaux à même le plâtre. Ma belle bibliothèque aux quatre vitres, merveille de ma jeune fantaisie, était vide et semblait honteuse de sa décadence.

Le piano avait de même disparu du salon.

L'occupation de 1914-1918 avait tout emporté.

Mais les miens étaient en vie et en santé. Je passai au milieu d'eux des vacances heureuses et je revins en France pleine d'énergie et d'entrain.

En dehors des cours en Sorbonne, je travaillais assidûment à la Bibliothèque nationale, ainsi qu'à la Bibliothèque Sainte-Geneviève, mon séjour de prédilection.

À mon retour de Pologne, je fis un stage, l'après-midi, chez un libraire de la rue Gay-Lussac.

J'appris ainsi à connaître les « clients » du livre. Je tâchais de pénétrer leurs désirs, de comprendre leurs goûts, leurs conceptions et leurs tendances, de deviner les raisons de leur admiration, de leur enthousiasme, de leur joie ou mécontentement au sujet d'une œuvre.

À la façon de tenir un volume, presque tendrement, d'en tourner délicatement les pages, de les lire pieusement ou de les feuilleter hâtivement, sans attention, pour remettre ensuite le livre sur la table, parfois si négligemment que les coins, cette partie si sensible, en étaient écorchés, j'arrivais à la longue à pénétrer un caractère, un état d'âme et d'esprit. Je plaçais le livre que je croyais indiqué, assez discrètement toutefois, à proximité du lecteur, afin qu'il n'éprouvât pas l'influence d'une suggestion. S'il le trouvait à sa convenance, j'en étais radieuse.

Je commençais à prendre la clientèle en sympathie. J'accompagnais certains visiteurs un bout de chemin en pensée et je songeais à leur contact avec le livre emporté ; ensuite, j'attendais impatiemment leur retour pour apprendre leurs réactions.

Mais il m'arrivait aussi... de détester un vandale. Car il y avait des gens qui martyrisaient un ouvrage, l'accablaient de critiques violentes, de reproches, jusqu'à en déformer perfidement le contenu !

Je dois avouer, à ma confusion, que les femmes surtout manquaient de pondération.

Ainsi, j'avais trouvé le complément nécessaire du livre : le lecteur.

En général, il régnait entre l'un et l'autre une harmonie parfaite dans la petite boutique de la rue Gay-Lussac.

À tous mes instants de loisir, je me rendais aux salles d'exposition des éditeurs, où je retrouvais vieilles connaissances et nouveautés, objets de surprise et de joie.

Lorsque l'heure vint pour moi de choisir une profession, je n'hésitai pas : je suivis ma vocation de libraire.

★

C'était en décembre 1920... J'allais, comme à l'accoutumée, faire un bref séjour chez les miens. En route, je m'arrêtai à Poznán, à Varsovie, puis, après les vacances dans ma famille, je me rendis à Cracovie.

J'emportais dans ma valise les deux premiers volumes des *Thibault* de Roger Martin du Gard, les *Croix de bois* de Dorgelès, *Civilisation* de Duhamel, livres qui me paraissaient bien indiqués pour communiquer aux amis et aux libraires, que je me proposais de rencontrer, mon admiration pour la riche floraison de la littérature française d'après-guerre.

Mon intention était d'ouvrir une librairie en Pologne. Je me rendis successivement dans ces villes. Partout les libraires avaient de belles collections de livres français. Mon entreprise me parut superflue.

Je décidai de faire à mon retour une courte halte à Berlin, d'y voir des amis et de reprendre le train du soir pour être à Paris à la première heure du matin.

Nous flânions par les grandes artères de Berlin et je m'arrêtais, comme j'aimais à le faire, devant les vitrines des grandes librairies. Nous avions traversé « Sous les Tilleuls », Friedrichstrasse et Leipzigerstrasse lorsque je m'écriai :

— Mais vous n'avez pas de livres français !

— Fort possible, fut la réponse, laconique et indifférente.

Nous refîmes notre promenade en sens inverse et cette
fois j'entrai dans les librairies. Partout on m'assura que la
demande de livres français était presque inexistante : « Il
nous reste quelques volumes de classiques. »

De journaux et revues, aucune trace. Les vendeurs,
dans les kiosques, répondaient sans bienveillance à mes
questions.

C'est sur cette impression que je regagnai Paris.

Le professeur Henri Lichtenberger, auquel je racontai
les résultats de mes déplacements, me dit simplement :

— Eh bien, pourquoi n'iriez-vous pas ouvrir une
librairie en Allemagne ?

Un éditeur s'écria :

— Berlin ? Mais c'est un centre ! Tentez donc votre
chance.

Mon bon professeur et ami P. déclara :

— Une librairie à Berlin... c'est presque une mission.

Je ne visais pas si haut : je cherchais une activité, celle de
libraire, la seule qui comptât pour moi. La perspective
de travailler à Berlin, que j'avais entrevue dans la brume
de l'hiver, immense, triste et morose, n'était cependant
pas sans m'attirer.

C'est dans ces dispositions que je repris, quelque temps
après, le chemin de la capitale de l'Allemagne.

★

Ma première démarche fut pour le consulat général de France, où j'exposai avec toute la fougue de ma conviction mon projet en faisant valoir les appuis moraux que je possédais déjà.

Le consul général leva les bras au ciel :

— Mais, madame, vous me semblez ignorer le climat moral de l'Allemagne actuelle! Vous ne vous rendez pas compte des réalités! Si vous saviez quel mal j'ai déjà à maintenir quelques professeurs de français établis ici. Nos journaux sont vendus dans quelques kiosques seulement. Les Français viennent jusqu'au consulat pour les trouver et vous voulez ouvrir toute une librairie! On viendra vous chambarder votre installation!

J'ai su plus tard qu'à Breslau, le consulat avait été, après le plébiscite de Haute-Silésie, saccagé par la foule allemande.

À l'ambassade de France, je ne pus voir qu'un jeune attaché; il ne se montra guère plus encourageant. Mais après huit jours d'investigations et de réflexion, ma décision était prise : il n'y avait pas de livres français, Berlin était une capitale, ville d'université, on y sentait battre déjà le pouls de la vie renaissante. Une librairie française devait, à son heure, réussir.

L'Allemagne ne m'était pas inconnue. Jeune fille, j'y étais venue perfectionner mes connaissances en langue allemande et poursuivre mes études de musique avec le professeur Xaver Scharwenka.

J'avais fait plus tard un deuxième séjour en Allemagne et suivi un semestre de cours à l'université féminine de Leipzig.

Les grands maîtres de la pensée, de la poésie et de la musique allemandes ne m'étaient pas étrangers. Et c'est sur leur influence que reposait tout l'espoir de réussite de ma librairie dans la capitale.

Il me fallait, bien entendu, procéder à maintes formalités dans cette ville administrative et bureaucratique. Le premier fonctionnaire berlinois consulté se montra nettement opposé à la vente de livres exclusivement français. Nous tombâmes d'accord sur la désignation d'une « Centrale du Livre étranger ». Mon interlocuteur allemand était, lui aussi, d'avis que l'époque semblait peu favorable à la réalisation de mon projet.

C'est ainsi qu'en dépit des objections officielles prit naissance ma tentative de librairie française à Berlin. Elle établit d'abord son siège à l'entresol d'une maison privée, dans un quartier tranquille, éloigné du centre.

Les colis commencèrent à affluer de Paris, m'apportant les beaux volumes aux couvertures multicolores, si caractéristiques des éditions françaises ; les livres remplirent les rayons, grimpèrent jusqu'au plafond, jonchèrent le sol.

Mon installation était à peine terminée que la clientèle arriva. Il s'agissait, à vrai dire, d'abord de clientes, étrangères pour la plupart, Polonaises, Russes, Tchèques, Turques, Norvégiennes, Suédoises et beaucoup d'Autrichiennes. Par contre, la visite d'un Français ou d'une Française constituait un événement. La colonie était peu nombreuse. Beaucoup de ses membres, partis à la veille de la guerre, n'étaient plus revenus.

Les grands jours, pour ces belles clientes, étaient ceux de l'arrivée des journaux et revues de mode sur lesquels elles se jetaient avec des cris de joie, enchantées à la vue des modèles dont elles avaient été privées si longtemps. Les publications d'art avaient de même leurs admiratrices zélées. La bibliothèque circulante fut accueillie avec un vif intérêt. Bientôt les lecteurs durent s'inscrire sur une liste et prendre leur tour, car les volumes s'enlevaient d'assaut.

Quelques mois plus tard, l'affluence croissante de la clientèle me fit envisager un agrandissement et la librairie s'installa dans le quartier mondain de la capitale.

1921! Cette époque d'effervescence fut marquée par la reprise des relations internationales et des échanges intellectuels. L'élite allemande commença à paraître, d'abord très prudemment, dans ce nouveau havre du livre français. Puis les Allemands se montrèrent de plus en plus nombreux : philologues, professeurs, étudiants, et les représentants de cette aristocratie dont l'éducation fut fortement influencée par la culture française, ceux qu'on appelait déjà alors « l'ancienne génération ».

Public curieusement mêlé. Des artistes connus, des vedettes, des femmes du monde se penchent sur les journaux de mode, parlant bas, pour ne pas distraire le philosophe plongé dans un Pascal. Près d'une vitrine, un poète feuillette pieusement une belle édition de Verlaine, un savant à lunettes scrute le catalogue d'une librairie scientifique, un professeur de lycée a réuni devant lui quatre grammaires dont il compare gravement les chapitres concernant l'accord du participe suivi d'un infinitif.

À mon étonnement, je pus constater alors combien la langue française intéressait les Allemands et quelle connaissance approfondie certains d'entre eux possédaient de ses chefs-d'œuvre. Un professeur de lycée me fit un jour remarquer, dans l'édition de Montaigne qu'il avait en main, une lacune d'une dizaine de lignes importantes. C'était exact, l'édition n'était pas *in extenso*. Un philologue pouvait, sur quelques citations d'un poète français, dire sans hésitation le nom de l'auteur. Un autre pouvait réciter par cœur des maximes de La Rochefoucauld, de Chamfort, et des pensées de Pascal.

Cette vie de libraire me mettait en contact avec des originaux sympathiques. Un client allemand, très bon grammairien, prenant congé après un achat, s'était entendu dire par mon employée : « Au plaisir, monsieur ! » Il revint sur ses pas et demanda l'explication de cette formule. Il voulait savoir s'il s'agissait d'une politesse simplement commerciale, si l'on pouvait l'employer également en société, en quelle occurrence, etc., etc.

Il nota l'expression sur un calepin et ne manqua jamais par la suite d'employer un « Au plaisir » accompagné d'un sourire complice.

Comme avant-coureurs de la diplomatie apparurent d'abord les fonctionnaires des consulats et des ambassades ; ils firent bientôt partie de la clientèle assidue. Puis arrivèrent les attachés, enfin, en dernier lieu, messieurs les diplomates et surtout leurs femmes.

Quant à Son Excellence l'ambassadeur de France, je reçus sa visite déjà lors de l'ouverture de la librairie dans le quartier ouest de Berlin.

Il me remercia de mon initiative, choisit plusieurs volumes et, de cette manière si spéciale à la langue française qui sait unir la fermeté à la politesse affable, il me dit que Romain Rolland et Victor Margueritte, l'un déserteur de la cause française, l'autre pornographe, n'étaient guère à leur place dans une librairie qui se respecte. Par contre Son Excellence me recommanda les ouvrages de René Bazin, de Barrès et d'Henri Bordeaux.

Après son départ, j'étais fière et triste à la fois. Malgré toute ma bonne volonté, je savais qu'il me serait impossible de suivre ces conseils.

Une ambassadrice étrangère, aussi intelligente que jolie, avait la passion de bouquiner. Elle passait des heures à ses recherches et découvrait toujours quelque volume à son goût. Un jour, où elle n'avait pas craint de salir ses belles mains soignées en fouillant les occasions poussiéreuses, amassées dans une pièce derrière la librairie, elle me dit tout enchantée :

— Si je n'étais pas femme de diplomate, mon rêve serait d'être libraire.

Dès ce jour, notre camaraderie était scellée. Je faisais faire des recherches pour elle chez les bouquinistes de Paris, elle m'envoyait des clients et m'avertissait de l'arrivée à Berlin de grands Français et des vedettes.

Car nous organisions des conférences et des réceptions d'auteurs notoires de passage en Allemagne.

Claude Anet, Henri Barbusse, Julien Benda, madame Colette, Dekobra, Duhamel, André Gide, Henri Lichtenberger, André Maurois, Philippe Soupault, Roger Martin du Gard vinrent rendre visite à la librairie.

Certains prenaient la parole. Ces causeries traitaient de sujets littéraires, artistiques, de souvenirs et impressions;

elles attiraient des professeurs, des étudiants, des Français et tout un public mondain. Les conférences étaient suivies d'une audition de disques français : chansons, poésies, scènes de pièces de théâtre.

Avec la collaboration de Français de bonne volonté, nous donnions aussi des « représentations théâtrales », des actes de Marivaux, de Labiche, du *Docteur Knock* de Jules Romains, parfois même des sketches d'actualité que nous composions. À certaines représentations, nous avions jusqu'à cinq cents élèves des écoles allemandes.

La fête du Mardi gras, organisée entre Français, devint de même un grand événement pour la clientèle.

Dans son livre *Dix ans après*, Jules Chancel a relaté l'une de ces fêtes, son atmosphère et son succès.

J'avais trouvé, dans mes efforts de libraire, le concours éclairé du professeur Hesnard, attaché de presse, auteur d'une excellente étude sur Baudelaire. Il m'aidait discrètement de ses conseils.

L'attaché culturel qui vint à Berlin vers 1931 m'a été, lui aussi, d'un appui infiniment précieux et je ne saurais assez dire ce que je dois à son érudition et à son dévouement.

En septembre 1931, je vis arriver Aristide Briand, accompagné d'un fonctionnaire qui lui servait de cicérone. Après m'avoir exprimé ses félicitations, il me demanda si c'était dans l'esprit du rapprochement franco-allemand que j'avais fondé ma maison.

— Je souhaite ardemment ce rapprochement, comme celui de tous les peuples du monde, répondis-je, mais c'est seulement sur le plan de l'esprit que je me suis placée en m'installant à Berlin. La politique prête à l'injustice, à l'aveuglement et à l'excès. Après une violente discussion entre deux clients de nationalité différente, j'ai toujours veillé à ce qu'on ne parle plus politique à la librairie, ajoutai-je.

Spectatrice des événements qui se déroulaient autour de moi, j'avais fait, dans l'exercice de mon activité, bien des constatations, vu se préparer les conflits, senti monter certaines menaces. J'aurais, certes, aimé parler à cœur ouvert à ce grand homme d'État dont les aspirations méritaient la confiance. Mais il était accompagné.

Cette méfiance que m'inspirait la politique prit le dessus. Je ne regrette pas de n'avoir posé à Briand aucune question, ni de m'être prononcée sur mes appréhensions. Son idéalisme se trouva irrémédiablement déçu si peu de temps après !

Je n'avais pas ouvert la boîte de Pandore au fond de laquelle gît, dans son sommeil dix fois millénaire, l'espoir d'une entente possible entre les peuples.

★

La visite de Briand conféra un prestige nouveau à ma librairie et lui valut une clientèle accrue. Je connus ainsi des années de sympathie, de paix et de prospérité.

À partir de 1935, les graves complications commencèrent.

D'abord, la question des devises.

Pour payer mes commandes de livres français, il me fallait chaque fois une nouvelle autorisation de clearing. Je devais

présenter les preuves de la nécessité des importations. Je
me procurais alors les recommandations les plus diverses.
Des écoles me remettaient des fiches de commande, les
professeurs de lycée de même. Les universités passaient
par la voie officielle.

Les clients particuliers remplissaient des bulletins que
je soumettais ensuite au service spécial chargé de l'appréciation des livres à importer. Pour parfaire le stock, je faisais appel à l'appui de l'ambassade de France. Le travail
devenait laborieux.

Parfois survenait la police. Sous prétexte qu'un auteur
figurait sur l'index, les inspecteurs contrôlaient tout, sai-
sissaient des volumes. Ils emportèrent ainsi les livres de
Barbusse, plus tard ceux d'André Gide et, finalement, un
grand nombre d'autres volumes, parmi lesquels figurait
l'œuvre de Romain Rolland (déjà mise à l'index par l'ambassadeur de France).

Pour suppléer à ce vide fait dans mes rayons et par
une ironie des circonstances, un Français, correspondant
berlinois d'un journal du Midi, vint précisément à cette
époque à la librairie m'apporter son ouvrage intitulé : *En
face de Hitler*. C'était... Ferdonnet, qui devait se rendre
tristement célèbre comme speaker de Radio-Stuttgart.
Il me demanda, d'un ton plein de suffisance, de placer
un volume de son œuvre en vitrine. Je lui répondis que,
conformément aux instructions des éditeurs, je n'exposais
pas les livres politiques. Il me répliqua :

— Vous savez bien qu'il me serait facile *d'insister*...

Puis, d'un ton impératif :

— Je compte quand même sur vous pour la vente !

Des agents venaient régulièrement saisir divers journaux français dont ils avaient la liste. Mes clients, par la suite, se présentaient dès l'ouverture du magasin pour devancer la visite des inspecteurs. Cependant, le nombre des feuilles françaises autorisées devenait de plus en plus limité.

Pendant quelques semaines, *Le Temps* fut seul toléré. Je m'empressai aussitôt d'en commander un nombre suffisant ; la clientèle était assoiffée de nouvelles de l'étranger. Huit jours durant, les lecteurs purent en disposer. Mais un beau matin, un inspecteur me notifia que *Le Temps*, à son tour, figurait sur la liste noire. Il emporta le stock entier, au grand désappointement de mes clients.

Cacher des journaux ? les mettre de côté ? « Diffusion de feuilles interdites », qui m'aurait menée au camp de concentration.

Dès lors, les quotidiens français n'arrivèrent plus en Allemagne. Ils disparurent définitivement.

Toutes ces limitations étaient d'ordre général.

Mais à la promulgation des lois raciales de Nuremberg (au Congrès du parti, septembre 1935), ma situation personnelle devint à son tour très précaire.

Le parti nazi savait que ma librairie se trouvait, en quelque sorte, sous la protection des éditeurs français. Les autorités allemandes, fidèles à leur politique qui consistait à chloroformer l'opinion publique, hésitaient à provoquer un esclandre. D'une part, elles toléraient mon activité au service du livre français ; d'autre part, elles me faisaient grief de mon origine.

Mon courrier contenait convocations, invitations, ordres

d'assister à telle réunion, de participer à telle manifestation ou rassemblement. Les associations de librairies m'enjoignaient de vérifier le stock de mon fonds et de remettre au service spécial de vérification les livres contraires à l'esprit du régime. À tous ces formulaires étaient joints des questionnaires relatifs à ma race et à celle de mes grands-parents et arrière-grands-parents, du côté maternel et paternel.

Mon secrétaire ne me montrait plus, à la longue, ces papiers déprimants; il prenait sa motocyclette, faisait le tour des administrations et leur fournissait les renseignements demandés. Il insistait sur ma qualité d'étrangère pour aplanir provisoirement les difficultés et me donner ainsi le temps de préparer la liquidation de mon affaire.

Les incidents se multiplièrent. Je me souviens d'un affront que j'eus à subir quelques jours avant Noël. De nombreux colis contenant des livres d'étrennes venaient d'être apportés par deux facteurs. Les tables étaient surchargées de belles éditions pour adultes, d'albums d'images coloriées pour enfants. Des revues, composées avec ce goût qu'on ne trouve nulle part au monde aussi parfait qu'en France, surgissaient de leurs emballages, accueillies par les cris d'admiration de la clientèle.

C'était la fièvre si spéciale à cette époque de l'année!

Subitement, la porte du magasin s'ouvrit avec fracas et la « surveillante » nazie de l'immeuble fit irruption chez moi. Femme à tête de Gorgone, elle tenait dans chaque main deux boîtes de conserve vides.

— Comprenez-vous l'allemand? s'écria-t-elle.

— Mais certainement, dis-je plutôt étonnée.

— Ces quatre boîtes de métal vous appartiennent-elles ?

— Je l'ignore, je vais le demander à ma femme de ménage ; mais pourquoi ?

— Elles sont à vous. Je le sais et je vous le dis ! Tous les Allemands savent que pour se débarrasser des boîtes de conserve il y a un récipient autre que la poubelle, c'est une caisse spéciale avec inscription ! Vous allez avoir une amende salée ! Elle figurera sur le compte de vos « bonnes affaires » de Noël, ajouta-t-elle, les yeux pleins de haine.

La mégère partit. Un diplomate présent à l'incident raconta qu'il n'avait su, pendant plusieurs jours, comment se défaire d'un tube d'aluminium portant en rouge l'injonction : « Ne pas jeter ». Il n'osait mettre ce tube dans la corbeille à papier de sa chambre d'hôtel, ni l'abandonner dans la rue. Il eut enfin l'idée de le déposer dans une pharmacie, où on le félicita au nom du parti. Cette anecdote fit rire sur le moment, mais sans toutefois dissiper le malaise.

J'étais excédée.

S'appuyant sur le règlement relatif au fameux « plat unique », la même surveillante d'immeuble venait à son gré contrôler mes casseroles. Elle soulevait les couvercles, en humait le contenu, puis se retirait en saluant à la nazi.

C'est à cette femme que je dois, d'ailleurs, mon premier contact avec la Gestapo.

J'avais profité des fêtes de Pâques pour aller voir mes cousins de Bruxelles. Je les avais consultés sur les possibilités d'un transfert de ma librairie dans leur ville. Le résultat fut négatif. De là, j'étais partie pour Paris, comme chaque semestre. J'envisageais des démarches en vue de céder le tout à des Français. Mes annonces avaient paru dans un bulletin professionnel. Un couple convint d'un séjour de quelques semaines à Berlin, pour faire un stage à la librairie et décider ensuite de la reprise de mon affaire. Le lendemain de mon retour, je fus convoquée d'urgence à la préfecture de police.

Je dus, en arrivant à la Gestapo, franchir successivement trois portails de fer, ouverts puis refermés à clef derrière moi par un S.S. en uniforme noir. Je le suivis par les longs corridors aux fenêtres grillées. Il s'arrêta enfin devant une porte et, après avoir frappé, m'introduisit dans une sorte de cellule.

Devant moi se trouvait, assis à une table, un jeune homme blond, en uniforme : vingt ans, figure imberbe, parsemée de taches de rousseur, yeux bleus délavés, l'air furieux. Il me fit signe de m'asseoir.

— Vous êtes Mme Une Telle? Nom de votre père, de votre mère? Votre race? Votre âge? Date et lieu de naissance? Vos papiers d'identité! Vous êtes accusée d'être partie à Pâques pour une destination inconnue, en franchissant clandestinement la frontière.

— J'ai voyagé avec un visa allemand régulier de sortie et de retour; je suis allée d'abord à Bruxelles et ensuite à Paris.

— Pourquoi Bruxelles? cria-t-il.

— Pour voir mes parents belges.

— Qu'avez-vous emporté lors de ce déplacement? Des devises, de l'or, des diamants? Avouez, on le saura de toute façon!

Il continuait à élever la voix et je me sentis progressivement désemparée.

— Rien de tout cela, répondis-je en me dominant. Je suis allée, comme d'habitude, à Paris, après un arrêt en Belgique, et je suis rentrée selon l'autorisation inscrite dans mon passeport que voici.

Il repoussa le passeport en disant :

— Admettons! Mais pourquoi avoir pris précisément une auto pour gagner Bruxelles?

Il croyait visiblement avoir trouvé le point faible de ce voyage et me fixait de ses yeux scrutateurs et courroucés. Mais j'avais repris mon sang-froid.

— J'ai profité du voyage d'amis qui se rendaient à Bruxelles et m'offraient de me faire rouler sur l'autostrade. Je n'ai pas voulu quitter l'Allemagne sans avoir vu une fois au moins cette route dont on parle dans le monde entier.

— *Ach!* notre autostrade est colossale, acquiesça le jeune fonctionnaire, avec un sourire radieux mais vivement réprimé.

» On verra. Vous pouvez disposer, conclut-il plus sévèrement encore.

Je fus reconduite à la sortie. J'étais *libre*!

Mon amie m'attendait devant le portail de fer. En me voyant, elle courut vers moi et se jeta dans mes bras.

De retour à la librairie, j'appris que l'ambassade de France et le consulat polonais avaient téléphoné pour demander de mes nouvelles. On avait redouté le pire.

Je me suis demandé plus d'une fois si je ne devais pas à la fameuse autostrade d'être sortie indemne de l'aventure, à une époque où les camps de concentration se remplissaient d'innocents.

Dans la cour de mon immeuble, comme dans d'autres endroits de la ville également, commençaient à se tenir, dissimulées aux regards, des réunions nocturnes de S.A. et de chemises brunes. Ces hommes discutaient, huaient les gouvernements étrangers, mais s'en prenaient surtout aux juifs. Ensuite ils entonnaient des hymnes qui magnifiaient la force, la guerre, la haine, la vengeance...

Les rebords de mes quatre fenêtres du rez-de-chaussée servaient de sièges à ces partisans.

Nuits d'insomnie et d'inquiétude !

★

Comme je l'avais fait si souvent, je partis pour deux jours voir les miens.

Mon père n'était plus de ce monde depuis trois ans. Nous l'avions tous assisté dans sa pénible agonie, impuissants à le secourir malgré toute notre tendresse.

La vieille maison de mon enfance, encore plus vieille, était en deuil.

Ma mère y vivait avec son fils, sa bru et son petit-fils qu'elle adulait. Elle m'accueillit affectueusement et me combla des dons sans fin de son cœur maternel. Auprès d'elle, ma tourmente intérieure s'apaisait.

Ma mère me pria d'abandonner mon activité pour sauver ma liberté. Oui, c'était indispensable.

Nous irions toutes les deux pour quelque temps dans les belles forêts de Pologne. Je trouverais plus tard à utiliser mes connaissances de libraire ; certes, je réussirais partout.

Ainsi parlait ma mère. J'acquiesçai à ses conseils sages et tendres. Tout me semblait si simple et si facile...

★

Les événements se succédaient rapidement. Ce fut d'abord le jour du grand boycottage.

Des sentinelles nazies furent postées devant les magasins des juifs avec la consigne d'aviser les clients qu'il était contraire à la doctrine nationale-socialiste d'acheter chez les commerçants de cette race. Les maisons étrangères qui avaient échappé à l'honneur d'une telle garde fermèrent par solidarité.

Je me tenais dans mon logement. Tout à coup, ma femme de ménage arriva très émue.

— Venez vite, madame ! Ils sont en train de barbouiller la vitrine !

En effet, munis d'un pot de colle et d'un long pinceau, des garçons de la « Jeunesse hitlérienne » s'appliquaient à placarder sur ma vitrine des papillons insultants.

— Que faites-vous là ? m'écriai-je.

— Nous exécutons des ordres !

— Veuillez cesser immédiatement !

L'un des gamins jeta un regard dans les vitrines et dit :

— Mais, c'est une maison étrangère ! Inutile de continuer, camarades. Allons-nous-en !

La journée était radieuse. Je partis vers les grandes

artères des quartiers voisins pour constater l'étendue de cette manifestation.

C'était à la fois grotesque et lamentable.

Partout la consigne était appliquée dans sa rigueur systématique. J'assistai entre autres à une scène plutôt comique. Une dame, s'approchant de la porte d'entrée d'une maison de mode, fut avertie par les deux sentinelles nazies que l'entreprise était juive.

— Mais moi aussi je suis juive, dit-elle en franchissant le seuil.

— Attendez, lui ordonna l'un des deux cerbères, en l'attrapant par le bras.

Ils se consultèrent, puis l'un d'eux partit en courant pour prendre des instructions sur ce cas imprévu.

La foule s'amassait, attendant le verdict.

La dame, feignant l'indifférence, examinait attentivement les chapeaux de la vitrine.

Le messager revint au bout d'un quart d'heure et l'autorisa à pénétrer dans le magasin.

Le boycottage de ce jour-là était déclenché avec la stricte consigne de maintenir l'ordre public. En dehors des attroupements sur les trottoirs, il n'y eut pas d'incidents graves.

On rencontrait partout des gens à l'air gêné, presque honteux; mais personne ne protestait ouvertement...

★

Le 10 novembre 1938 fut le jour mémorable du grand pogrome dans toute l'Allemagne.

Lorsque, par les journaux du soir, la nouvelle de la mort de von Rath, attaché de l'ambassade d'Allemagne à Paris, se répandit à Berlin, chacun comprit que des événements terribles allaient survenir. On savait que le parti avait d'avance préparé des « représailles grandioses ».

J'avais passé la soirée chez des amis. Nous étions tristes et inquiets. Rentrant très tard, j'entendis dans la cour les éclats de voix d'une grande réunion de S.A.

Je me couchai sans faire de lumière. Je fus réveillée par un bruit étrange qui venait de la rue. Ma pendulette marquait quatre heures. Le bruit insolite augmentait et semblait se rapprocher. Je reconnus le rythme d'une pompe.

Je m'habillai en hâte, avec la pensée qu'il s'agissait d'un incendie dans le voisinage. Je sortis.

En face de chez moi et tout le long de la rue, des pompiers étaient en action. Le magasin du marchand de fourrures brûlait. Trois maisons plus loin, c'était une papeterie ; plus loin encore, d'autres foyers d'incendie rougeoyaient dans la nuit. Je restais sur place, atterrée.

— La synagogue est en feu, chuchotait-on dans un groupe.

Je traversai la chaussée. En effet, la synagogue, située dans la cour d'un grand immeuble, flambait. Les pompiers arrosaient les maisons voisines pour éviter la propagation du sinistre.

« La synagogue est perdue ! » décida dans l'ombre une voix autoritaire.

Il faisait une chaleur terrible. En sortant de la cour, je trébuchai contre un objet métallique. C'était un chandelier d'argent à sept branches, cassé et tordu, jeté là.

Sur la chaussée, des papiers éparpillés jonchaient le sol. « Des proclamations », pensai-je en me baissant pour ramasser un exemplaire.

Quelle ne fut pas ma stupéfaction en constatant qu'il s'agissait d'un fragment du rouleau de la Loi dont les restes épars avaient été jetés au vent.

À ce moment un vieillard s'avança vers le temple. Muni d'une corbeille, il commença à recueillir ces parchemins couverts de caractères hébraïques. Ses lèvres remuaient. Il semblait réciter une prière. C'était le bedeau du temple.

D'autres personnes du quartier se joignirent silencieusement à lui pour relever les reliques profanées, groupe d'ombres douloureuses et pathétiques.

L'aube commençait à poindre.

Fatiguée, je regagnai ma demeure.

À ce moment j'entendis un cri parti d'une fenêtre : « Voici la deuxième équipe qui arrive. »

Deux individus, armés de longues barres de fer, surgirent au pas cadencé. Ils s'arrêtaient devant certaines vitrines et les défonçaient. Les vitres volaient en éclats. Alors l'un d'eux pénétrait dans les étalages et, du pied, renversait et foulait les marchandises. Puis ils reprenaient leur route.

Je les voyais s'approcher, venir dans ma direction.

Je me trouvais sur les marches de la librairie. Mon cœur battait à coups précipités, mes nerfs étaient terriblement tendus. Je sentais en moi une énergie grandissante.

Ils s'arrêtèrent.

L'un épela mon enseigne, pendant que l'autre consultait sa liste.

— Attends ! Attends ! Elle n'y est pas.

Ils passèrent.

J'étais toujours là. Je sentais que, s'il l'eût fallu, j'aurais défendu chaque volume de toutes mes forces, de ma vie même, non seulement par attachement à ma librairie, mais surtout par un immense dégoût de l'existence et de l'humanité, par une nostalgie infinie de la mort.

Assise sur les marches de mon magasin, j'attendais...

Les incendies grésillaient et les pompiers travaillaient toujours.

Les trottoirs et la chaussée étaient recouverts d'objets les plus disparates.

Quelqu'un me prit par le bras et me fit rentrer chez moi.

Une journée néronienne s'abattit sur la ville.

Les marchandises lancées par les fenêtres étaient emportées par la foule. Quiconque essayait de se défendre et de sauver son bien était malmené.

Il y eut, cette fois, des rencontres sanglantes et meurtrières. Le tout se déroulait sous les yeux d'une police indifférente.

À proximité de ces scènes de pillage, des agents gesticulaient pour faire circuler les voitures.

La ville entière prit un aspect indescriptible. Des meubles, des pianos, des lustres, des machines à écrire, des monceaux de marchandises gisaient sur les trottoirs ; des débris de vitres et de glaces recouvraient littéralement la chaussée.

On pillait les bijouteries aussi bien que les humbles boutiques des pauvres. En dehors de quelques entreprises commerciales appartenant à des juifs étrangers, tout fut liquidé de cette façon sinistrement organisée.

Des centaines de mètres d'étoffes pendaient aux fenêtres de grands magasins, comme des emblèmes d'abomination et de sauvagerie.

*

Le lendemain, je n'ouvris pas la librairie. Vers midi, je fus appelée au téléphone par un haut fonctionnaire de la Chambre de commerce. Il m'enjoignit fort poliment de rouvrir incessamment. En commentaire, il ajouta que la fermeture des entreprises étrangères n'était pas dans les vues du gouvernement; elle pourrait avoir des répercussions sur les établissements allemands hors du pays.

Au cours de la journée suivante, de nombreux clients vinrent me rendre visite. Ils m'apportaient des fleurs et m'exprimaient leur sympathie. Le téléphone ne cessait de retentir. L'on demandait de mes nouvelles et l'on s'enquérait du sort de la librairie.

Des fleurs! Comme elles m'apparurent d'une sinistre ironie et comme elles me firent sentir toute l'horreur de ma situation! Cependant ces marques d'amitié me furent un réconfort.

*

Je n'envisageais plus depuis longtemps la possibilité d'une cession de ma librairie. Tous mes efforts dans ce sens étaient restés vains. Les intéressés se posaient de très

graves questions! Une librairie française pourrait-elle durer
à Berlin? Ne se mettrait-on pas en fort mauvaise posture
envers les autorités nationales-socialistes en acquérant une
entreprise essentiellement française? En 1939, comme en
1921, lors de mon voyage d'orientation, le même problème
surgit à nouveau : une librairie française avait-elle à Berlin sa
raison d'être? Les quelques amis de la librairie qui désiraient
l'acquérir étaient donc à juste titre hésitants et inquiets.

Quant aux Français, ils venaient « voir les conditions de
près » et repartaient après quelques jours au plus. Le jeune
couple arrivé de Paris avait fait preuve de bonne volonté,
mais malgré nos efforts d'entente réciproque, leur enthousiasme avait décliné et la jeune femme d'abord, le mari
ensuite déclarèrent qu'ils ne pourraient vivre dans une
atmosphère aussi lourde et sans joie. Finalement, je me
rendis à l'évidence, la librairie était désormais superflue et
déplacée en Allemagne.

Mes engagements à l'égard des éditeurs n'étaient
toujours pas amortis. Ceux-ci m'avaient accordé une
confiance absolue et avaient facilité ma tâche. Il m'était
impossible de fermer simplement boutique.

En juin 1939, la liste de mes obligations fut dressée et
confirmée par Paris. Les factures se trouvaient au contrôle
du service des commandes (section des douanes : vérification de la régularité des importations), elles devaient passer
ensuite au clearing avant de parvenir, munies d'un ordre
de versement, à la Banque de l'Empire (Reichsbank).

Comme il s'agissait d'intérêts de maisons d'édition
françaises, ces formalités étaient appuyées par le service
commercial de l'ambassade de France.

Le 1er août 1939, l'autorisation du clearing me fut octroyée. Je procédai fiévreusement aux paiements.

Je tentai de mettre à l'abri les collections de livres. Pendant que je faisais dans ce sens des démarches hâtives, d'ailleurs sans succès, l'air se chargeait de menaces et de danger.

En juillet, je m'étais rendue à plusieurs reprises au consulat polonais pour me renseigner sur la situation.

Chaque fois on me rassurait pleinement.

Le consul m'avoua confidentiellement que l'Angleterre était en train *d'aplanir* les complications surgies dans les rapports germano-polonais.

Le 25 août, allégée de toutes mes obligations, à la veille de mon voyage de vacances dans ma famille, je revins demander au service commercial quelques indications relatives à la protection de ma librairie. J'appris avec consternation que la frontière polonaise était « momentanément » fermée, à la suite de coups de feu échangés entre les éléments des deux pays.

À la foule inquiète accourue, on répondait : « Tout s'arrangera, il n'y aura pas de guerre ! »

Le 26 août, je fus appelée au consulat de France. J'y reçus le conseil d'aller « en attendant » à Paris et de prendre le train qui, dans vingt-quatre heures, devait emmener les Français de Berlin et quelques étrangers.

« Ce départ collectif n'est qu'une protestation contre la violation nazie de la frontière polonaise. »

Je retournai une fois encore à mon consulat. « L'Angleterre agit ! L'Amérique s'en mêle ! Roosevelt adressera un appel à la paix au peuple allemand. » Et mon interlocuteur, haut fonctionnaire, ajouta : « Cependant votre situation est, dans ces moments troubles, particulièrement exposée. Pourquoi n'accepteriez-vous pas l'offre bienveillante d'aller "en attendant" à Paris, quitte à faire le voyage en Pologne dès que le conflit sera conjuré. C'est une question de quelques jours! Les Alliés ne sont pas disposés le moins du monde à faire la guerre... »

Cela fut dit avec un sentiment de profonde conviction.

Il fut établi depuis que les diplomates anglais, français et polonais n'admettaient guère l'approche du désastre.

Le soir même, deux amies dévouées vinrent pour « faire mes bagages ». Rien ne devait à cette époque quitter l'Allemagne sans autorisation spéciale. Il fallait remplir une multitude de questionnaires et préciser chaque objet que l'on désirait emporter : pièces de lingerie, vêtements, chaussures et même ciseaux, pains de savon, brosses à dents.

Je n'avais pas songé à me soumettre à cette formalité.

Mes deux amies insistèrent pour que j'emporte au moins une partie de mes effets personnels. Une malle fut préparée par leurs bons soins.

Recroquevillée dans un coin du divan, je les laissais faire. Toute mon énergie avait disparu. J'étais comme hébétée.

Très tard, deux jeunes gens vinrent pour transporter la malle à la gare. Cette démarche irrégulière les exposait à un véritable danger. Ils le bravèrent malgré mes protestations.

Je restai seule avec ma librairie. Je la veillai toute la nuit, me remémorant notre communauté, notre solidarité, nos années d'efforts et de luttes palpitantes.

Je revoyais clients et amis... Combien, à chaque tentative de départ, ils s'étaient montrés profondément affectés. « La librairie, disaient-ils, est le seul endroit où nous puissions venir reposer notre esprit. Nous y trouvons l'oubli et le réconfort, nous y respirons librement. Elle nous est plus que jamais nécessaire. Restez ! »

Je compris cette nuit-là pourquoi j'avais pu supporter l'accablante atmosphère des dernières années à Berlin... J'aimais ma librairie, comme une femme aime, c'est-à-dire d'amour.

Elle était devenue ma vie, ma raison d'être.

L'aube me trouva assise à ma place habituelle devant ma table de travail, au milieu des livres.

La librairie paraissait presque irréelle dans la première lueur du jour.

Alors je me levai pour faire mes adieux...

Je passais de rayon en rayon, caressant tendrement le dos des livres... Je me penchais sur les exemplaires numérotés. Combien de fois avais-je refusé de céder l'un ou l'autre par attachement !

Je relisais les dédicaces des auteurs. Certains n'étaient plus. Ni Claude Anet... Comme il m'avait parlé avec enthousiasme de sa vie en Russie ! Ni Henri Barbusse... Il m'avait raconté ses souvenirs de Roumanie, de Russie, de Lénine... Ni Crevel, jeune, fantasque, inquiétant dans sa fougue et dans son pessimisme.

Certaines dédicaces évoquaient un instant de sympathie, d'autres un hommage éphémère... Tous ces trésors allaient rester. Quelles mains en prendraient soin ?

Je cherchais auprès de mes livres réconfort et encouragement.

Et subitement je perçus une mélodie infiniment délicate... Elle venait des étagères, des vitrines, de partout où les livres menaient leur vie mystérieuse.

J'étais là, j'écoutais...

C'était la voix des poètes, leur consolation fraternelle à ma grande détresse. Ils avaient entendu l'appel de leur amie et faisaient leurs adieux à la pauvre libraire dépossédée de son royaume.

Les premiers bruits du matin me rappelèrent à la réalité.

★

Je pris le train avec la colonie française, le personnel de l'ambassade, du consulat, quelques Polonais et d'autres étrangers qui se rendaient à Paris.

Malgré les assurances optimistes, nous pensions, pour la plupart, que le conflit était inévitable. Nous étions tous accablés, songeant à un avenir que nous pouvions d'autant plus facilement nous imaginer que les événements de 1914-1918 n'étaient pas si éloignés de notre mémoire.

Ma dernière collision avec les nazis eut lieu à la frontière. À Cologne, tous les voyageurs durent défiler devant un fonctionnaire de la Banque d'Empire, pour changer contre de l'argent français le maximum autorisé de dix marks.

Un prêtre polonais me précédait. Après un regard jeté

sur son passeport, le fonctionnaire allemand décréta :
« Polonais !... pas de devises... au suivant ! »

C'était mon tour : un regard également rapide dans mes
papiers : « Non-Aryenne !... pas de devises... au suivant ! »

Ce fut le mot d'adieu de l'Allemagne nazie.

Le soir, en arrivant à Paris, je dus téléphoner de la gare
du Nord à ma famille et attendre que mes parents vinssent
me chercher ; je n'avais pas d'argent pour prendre une
voiture.

Ainsi, les mesures nazies étaient parvenues à me frapper
jusqu'au-delà de la frontière...

Pâle prélude de ce qui devait suivre !

Je l'ignorais alors, bien heureusement !

Trois jours après mon arrivée, j'allai m'enquérir du sort
de ma malle. L'employé de la gare me dit que « pour le
moment » les bagages n'arrivaient pas d'Allemagne. Il alla
cependant vérifier.

— Vous avez de la veine, c'est le dernier que nous
ayons reçu.

Il annula le bulletin et ajouta, bon enfant :

— Gardez-le en souvenir, c'est un vrai porte-bonheur.

★

Il y avait des Allemands qui abandonnaient patrie,
fortune et activité pour ne pas participer à l'œuvre des
nationaux-socialistes ; d'autres se terraient entre les murs
de leurs maisons pour sauvegarder la liberté de leur
pensée et de leur conduite.

Des courageux élevèrent la voix, parmi eux le pasteur

Niemöller, le père Mayer, Monseigneur von Gallen, évêque de Münster, le cardinal Faulhaber, de Munich, et tant d'autres. Presque tous disparurent ou, à l'égal des juifs, peuplèrent les camps de concentration.

Leur souvenir ne peut, certes, pas être effacé...

Et ma pensée va de même vers « les habitués », amis fidèles de la librairie. Que sont-ils devenus ? Le raz de marée qui noyait les élans vers la liberté et la justice a-t-il emporté ces *hommes de bonne volonté* ?

Je l'appréhende avec une profonde tristesse...

Lorsque je pense aux dernières années si tourmentées de mon séjour à Berlin, je revois une suite de faits hallucinants : les premiers défilés silencieux des futures chemises brunes ; le procès qui suivit l'incendie du Reichstag, caractéristique des procédés nationaux-socialistes ; la transformation rapide des enfants allemands en larves agitées de la Jeunesse hitlérienne ; l'allure masculine des jeunes filles blondes aux yeux bleus, défilant d'un pas rude qui faisait vibrer les vitres et, dans les devantures, trembler les livres d'un sombre pressentiment ; la visite de cette mère allemande qui pleurait son enfant, lequel venait d'être félicité devant toute la classe et donné en exemple parce qu'il l'avait dénoncée pour ses opinions anti-nazies ; cette autre mère, juive, celle-là, qui, le cœur débordant de douleur, me raconta que son fils, de père chrétien, l'avait rencontrée dans la rue et qu'accompagné de camarades hitlériens, il avait fait semblant de ne pas la reconnaître ; la désolation grandissante de toutes les mères devant le détachement de leurs enfants arrachés au foyer familial ; l'influence des chefs d'immeubles qui s'introduisaient dans la vie des locataires, les citaient devant des tribunaux de mœurs, disloquaient les liens du mariage, de l'amitié, de l'affection, de l'amour ; les gens dépossédés de leurs métiers et de leurs fonctions d'abord, ensuite de leur fortune, enfin de leurs droits civiques et humains ; la fuite des persécutés vers les frontières ; les enterrements des désespérés qui s'étaient jetés sous les trains ou par les fenêtres ; les disparitions à jamais dans les camps de concentration ; le retour, après de longues absences, de clients, esprits fins et éclairés – tête rasée comme des forçats, regard lointain, inquiet, main tremblante –, ils étaient devenus des vieillards en quelques mois !

Souvenir de l'apparition d'un chef à la face de robot, face où la haine et l'orgueil étaient si profondément marqués qu'elle était morte à tout sentiment d'amour, d'amitié, de bonté ou de pitié...

Et, autour de ce chef, à la voix hystérique, une foule fascinée capable de toutes les violences et de tous les meurtres !

Vision de la naissance de cette monstrueuse et toujours grandissante termitière humaine qui s'étalait rapidement dans tout le pays avec un sinistre grincement de métal, termitière à l'incalculable potentiel de forces collectives.

II

PARIS

En France, on ne croyait pas à l'approche de la guerre.
Je respirais l'air de la capitale. Bien vite, je me laissai
conquérir par le sentiment général de confiance. J'envisageais mon prochain départ pour me rendre auprès des
miens.

En ces jours de crise aiguë, Paris gardait sa physio-
nomie habituelle : mouvement, couleurs, vitalité.

Aux terrasses des cafés, aux coins des rues, on commen-
tait la situation. Dans le métro, on lisait le journal du
voisin par-dessus son épaule ; le besoin de communiquer
et d'apprendre, si possible, d'un interlocuteur peut-être
mieux informé quelques détails inédits incitait à adresser
la parole à tout venant, à s'arrêter dans la rue pour
écouter, pour regarder, pour palabrer.

Le public achetait les journaux encore humides d'encre
qu'il attendait devant les rédactions. La foule se bouscu-
lait pour attraper au vol un numéro ; les vendeurs semblaient avoir des ailes. Devant les kiosques, on faisait
queue bien avant l'arrivée des cyclistes. Certains prenaient
plusieurs feuilles, d'opinions opposées, les parcouraient

fiévreusement sur place et les passaient ensuite à d'autres lecteurs.

Les grands journaux d'information tantôt rassuraient l'opinion, tantôt l'invitaient à se préparer à des événements inéluctables.

Dans les maisons, les cours, les squares, les bureaux, les restaurants et les cafés, la radio retentissait sans relâche. Impossible d'échapper à son emprise. Sa voix enrouée pénétrait partout, jusque dans les salles de théâtre et même pendant les entractes des concerts classiques.

L'on écoutait pêle-mêle les postes dans toutes les langues. Véritable tour de Babel ! Certains se faisaient réveiller pour entendre, la nuit, les émissions américaines. C'était une obsession ! La tension nerveuse fut portée, ces jours-là, à un degré indescriptible.

Entièrement possédé d'un ardent désir de paix, le peuple français *espérait*. La fameuse phrase : « L'an dernier aussi, l'on avait vu venir le pire et pourtant tout s'était arrangé » circulait de bouche en bouche, comme le refrain d'une chanson en vogue.

C'est pourquoi l'ouverture des hostilités plongea la France entière dans la consternation.

Ce fut pour moi une douleur déchirante.

À ce moment seulement je réalisai l'étendue de la séparation d'avec ma mère. Je me vis loin d'elle et de tous les miens pour la durée de la guerre, c'est-à-dire pour une éternité d'inquiétudes et de tourments à leur sujet.

L'armée allemande avançait, piétinait la Pologne, s'y établissait. Je suivais avec angoisse sur la carte ce progrès foudroyant de l'ennemi...

La T.S.F. donnait inlassablement des détails horrifiants de carnage, de bataille, de bombardement, de dévastation et de massacres de populations. C'était aux heures des repas que la radio diffusait les communiqués et l'on devait s'habituer à manger, boire, mâcher, avaler, tout en écoutant les nouvelles sanglantes et désastreuses. L'horreur s'installa dans la vie quotidienne.

Paris était devenu, du jour au lendemain, étrangement silencieux.

Ainsi commença pour la France la curieuse période d'accalmie militaire, « la drôle de guerre ».

C'est alors que la presse entama une grande campagne contre ce que l'on appelait « la cinquième colonne », installée partout depuis des années. Avide de diversion, le public trouva dans ces révélations sensationnelles un intérêt passionnant.

La préfecture de police prit « de grandes mesures » d'ordre général et décida de procéder au recensement de tous les étrangers et à la révision de leur situation.

Ces mesures, établies sans préparation, furent exécutées sur-le-champ. Les commissariats de police, les directions d'hôtel, les logeurs, les concierges, les patrons qui occupaient des étrangers furent invités à s'assurer que ces derniers se conformaient bien aux nouvelles ordonnances.

La population entière se mit à surveiller les « suspects ». Du jour au lendemain des milliers d'étrangers stationnèrent devant la préfecture, formant une queue qui passait par le quai aux Fleurs et s'allongeait jusqu'au boulevard Saint-Michel.

Ils venaient prendre leur place dès l'aube ; ils apportaient un pliant, une collation, un livre, des journaux et ils
patientaient, d'abord sous la pluie de septembre et d'octobre, puis sous la neige de novembre et de décembre.

Séparés par la guerre de leurs pays d'origine, sans possibilité d'y retourner, certains sans ressources, ces gens
attendaient, las et hébétés. Un abattement terrible régnait
dans cette foule hétéroclite de déracinés.

La mobilisation générale ayant appelé sous les dra-
peaux la majorité des hommes valides, le personnel de la
préfecture se composait surtout de jeunes femmes. Elles
n'étaient pas le moins du monde préparées à cette tâche
écrasante et furent vite excédées.

Munie de mon pliant, je fis queue pendant des heures
interminables pour obtenir mon permis de séjour en
France.

C'était pour moi une extrême fatigue physique et
morale. Je maugréais en moi-même, mais je supportais
vaillamment ces exigences policières. Ces longues formalités, opérées un peu sans suite, étaient imposées à tous
les étrangers, sans différence de nationalité ni de race.
Elles n'avaient rien de vexatoire. On ne pouvait les attri-
buer qu'au désarroi général.

J'attendais donc patiemment, parfois en toussant, certains jours même avec la fièvre.

Qu'importe ! C'était Paris, Paris avec ses après-midi le
long des quais, devant les boîtes des bouquinistes qui me
semblaient s'être remplies de nouveaux trésors depuis ma
dernière visite.

L'attitude des éditeurs était très bienveillante à mon

égard. Ils me félicitaient et me promettaient leur appui pour une nouvelle librairie.

L'attaché culturel, arrivé à son tour à Paris, eut cette parole, pour moi si encourageante : « Vous avez le mérite d'être restée à votre poste jusqu'à la dernière minute. » Et il ajouta en souriant : « Comme un vaillant soldat. »

Il s'efforçait de me rendre moins douloureuse la séparation d'avec ma chère librairie, comme il m'avait naguère si généreusement aidée à la défendre contre toutes les adversités.

C'est ainsi que débutèrent pour moi, sous un ciel pluvieux, les jours infiniment sombres de la nouvelle guerre.

J'obtins finalement un permis de séjour. Il stipulait que je pouvais jouir de l'hospitalité de la France jusqu'à la fin des hostilités.

*

La guerre prenait un rythme de plus en plus accéléré. Les Allemands franchissaient de nouvelles frontières. L'ennemi s'approchait de la France. La « drôle de guerre » prenait fin.

Cependant, confiants dans la solidité de la ligne Maginot, tous croyaient encore impossible une violation du territoire national.

À ce moment, les raids d'orientation allemands commencèrent sur la région parisienne. Les bombes tombèrent sur les usines de la banlieue.

L'incertitude était générale. Presse et radio prodiguaient conseils et instructions. Le public restait hésitant. Valait-il mieux mourir chez soi ou asphyxié dans une cave?

Lorsque les sirènes retentissaient, les uns restaient au

lit, d'autres descendaient à la cave, puis remontaient ou stationnaient dans la cage de l'escalier. Certains s'aventuraient sur le seuil de l'immeuble « pour voir un peu ça » et pour bavarder avec des voisins.

Les chefs d'îlots sévissaient ; puis ils laissaient faire. « Au fond, on ne sait pas ce qui vaut le mieux », avouaient-ils.

Les Parisiennes étaient fières de n'avoir pas eu peur et elles passaient leurs matinées à se communiquer leurs impressions par téléphone.

Quand, vers la fin mai 1940, la confiance dans la possibilité de la défense tomba brusquement, alors seulement on commença à songer à quitter Paris.

Le gouvernement recommandait de partir ; quiconque n'était pas absolument utile dans la capitale devait s'éloigner, les vieillards les premiers.

Les écoles fermèrent ; les vacances se trouvèrent ainsi avancées de deux mois. Tout le monde se préparait au départ, d'ailleurs bien tranquillement.

Mon vieux professeur d'autrefois, l'ami toujours dévoué, me proposa de le suivre en Avignon, où il se rendait lui-même. Je me souviens que nous étions assis ce jour-là à la terrasse de notre café habituel de la place Saint-Michel, *La Boule d'Or*. Il me parlait des beautés de la cité historique. Le pont d'Avignon qui avait été jusqu'à ce jour, pour moi, du domaine de la chanson et du passé lointain allait devenir une réalité...

Comme la radio recommandait de se procurer un sauf-conduit pour le voyage, je me rendis de très bon matin au commissariat de police de mon quartier. Je ne fus nullement étonnée d'y voir une queue de solliciteurs. Après mes stations devant la préfecture de police, rien sous ce rapport ne m'effrayait plus.

Je fus introduite, avec un groupe, près d'une table où siégeaient des agents. Nous apprîmes qu'il fallait se procurer soit un certificat médical attestant la nécessité d'un séjour à la mer ou à la campagne, soit une invitation personnelle venant du pays où l'on se rendait, de préférence d'un parent proche ou éventuellement d'un malade ayant besoin d'une aide.

Aussitôt sortis du commissariat, les uns s'en furent assiéger les cabinets de consultation des médecins, d'autres se découvrirent une parenté plus ou moins éloignée ; enfin chacun cherchait à se tirer d'affaire de son mieux et commençait à acquérir un nouvel esprit d'invention pour faire face à toutes les situations.

Mon vieil ami avisa d'urgence son filleul, qui m'envoya aussitôt une invitation en règle.

Les appels à la population devenaient pressants, mais, en même temps, les sauf-conduits de plus en plus difficiles à obtenir. Je reçus le mien au moment propice.

À la veille de mon départ de Paris, j'eus, par l'ambassade de Suède, des nouvelles de ma librairie : les collections de livres et de disques, mises en caisses, ainsi que les meubles et l'installation avaient été entreposés dans un garde-meuble par les bons soins de cette ambassade.

Trois mois plus tard je fus avisée, par l'intermédiaire de la Suisse, que tout ce dépôt venait d'être confisqué sur l'ordre du gouvernement allemand, à cause de ma race.

Instruite par l'expérience et pour parer à toutes les éventualités, j'eus l'idée de demander aux éditeurs, avant de partir vers l'inconnu, un mot de recommandation. On m'adressa à un service compétent de la présidence du Conseil et j'obtins un document conçu en ces termes :

Madame F*** a été pendant de longues années directrice dévouée et intelligente d'une librairie consacrée exclusivement au livre français et qu'elle avait fondée à Berlin en 1921. Elle a rendu à la France des services réels pour la diffusion du livre français à l'étranger. Nous souhaitons qu'elle puisse jouir dans notre pays, pour lequel elle a si bien travaillé, de toutes les libertés et de tous les avantages.

Le document était signé par un haut fonctionnaire de la présidence du Conseil.

Mes bagages, deux valises en tout, furent vite faits; ma grande malle rescapée de Berlin confiée à un garde-meuble parisien.

Mon vieil ami prit généreusement sa faction à la gare de Lyon et après plusieurs heures d'attente il obtint deux billets pour Avignon.

Il était fort difficile de trouver un véhicule à cette époque; je me mis de bonne heure sur le bord du trottoir, mes deux valises devant moi, dans l'espoir d'attraper au vol un taxi. Au bout d'une bonne heure un chauffeur s'arrêta.

★

C'était une radieuse journée de printemps.
Je traversai la ville d'est en ouest; toute la rive droite

défilait mélancoliquement sous mes yeux avec ses merveilleuses perspectives se perdant, semblait-il, dans l'infini.

Elle me parut plus belle que jamais dans son imposante grandeur et c'étaient de durs adieux qu'elle m'arrachait au passage.

Place de la Bastille, alors que le chauffeur ralentissait un peu l'allure, j'eus une émotion. Une jeune dame fort élégante sauta sur le marchepied de ma voiture et, s'agrippant à la portière : « Vous permettez, madame ? », me dit-elle avec un charmant sourire, comme s'il s'agissait d'une visite mondaine, « c'est pour réserver la voiture ».

Devant la gare de Lyon, l'embouteillage était tel que le chauffeur dut me déposer en bas de la rampe. Je fus ravie lorsqu'un poivrot m'offrit ses services de porteur improvisé. Il s'en tira d'ailleurs avec habileté.

Une demi-heure plus tard, nous nous mîmes en route.

Silence des champs, paix des alentours, défilé des paysages riants, tout cela existait encore dans toute sa splendeur. Nous parlions peu. Nos pensées allaient vers les pays envahis, dévastés, vers la sombre nuit prête à descendre sur la France.

Trois jours plus tard, Paris était bombardé. Il y eut un millier de victimes.

La guerre était déchaînée sur la France. Les Allemands s'approchaient de la capitale.

III

AVIGNON

Ma première impression de la capitale du Comtat fut de me sentir reportée à quelques siècles en arrière. Je m'installai dans une très vieille maisonnette dans une ruelle plus ancienne encore. Malgré des restaurations successives, tout y rappelait le passé : l'escalier, la courette, les fenêtres et jusqu'à la lourde clef de ma porte. Par moments, j'avais le sentiment d'être en visite chez des ancêtres.

Par un dédale de ruelles où je m'égarais volontiers, j'allais sur les remparts dont je connus bientôt tous les aspects. Un silence total donnait à certains quartiers un caractère irréel. J'avais partout l'impression de faire un rêve. La somnolente douceur de cette ville me conquit. Je ne lisais plus les journaux, j'évitais la radio, qui ne sévissait pas encore en Avignon.

L'après-midi, traversant le Rhône, je m'asseyais sur une de ces grandes pierres plates de la berge qui, me dit-on, furent à une époque ancienne transportées par les habitants de la ville et constituaient leur propriété personnelle. On y venait goûter la fraîcheur du fleuve.

Je contemplais le spectacle du pont et du Château des Papes, tantôt le jour, sous l'aveuglante lumière du soleil, tantôt au crépuscule qui estompait les contours et donnait à la vieille cité l'aspect d'un mirage.

Je m'installais parfois dans le petit jardin public. Malgré la guerre, il était soigné, fleuri et soigneusement taillé par le vieux jardinier municipal. Les cygnes évoluaient majestueusement dans les deux bassins, les enfants jouaient, insouciants ; de très vieilles gens échangeaient des remarques naïves : «Avez-vous lu les journaux? – On les aura, comme en 18. – Ils ne se hasarderont pas jusqu'ici! – À Marseille, on dit que... – Avez-vous entendu à la radio?»

Puis, fatigués déjà par cet effort, ils reprenaient leur sieste, s'endormaient ou parlaient d'autre chose. Tout ce petit monde, habitués du square public, se composait de retraités, de rentiers et de pensionnaires de l'asile de vieillards.

Un après-midi de chaleur accablante, je me promenais dans une ruelle écartée. Je m'étais arrêtée pour admirer la porte et le balcon d'une maison de style très pur. Un silence absolu régnait autour de moi. Je restais là, perdant la notion du temps et du lieu. Subitement une fenêtre mignonne s'entrouvrit et une toute vieille dame me dit d'une voix douce et aimable :

— Il fait bien chaud aujourd'hui, madame. Ne voudriez-vous pas me faire le plaisir d'accepter un peu de cidre? Il est bien frais!

J'entrai sur cette invitation inattendue. J'eus ainsi l'occasion de passer l'après-midi dans une demeure décorée de merveilles anciennes. Le sol était couvert d'une fine mosaïque; le plafond orné d'amours, de fleurs et de devises. Les meubles dataient de plusieurs siècles. Des portraits d'ancêtres imposants me fixaient...

Quant au cidre, il me fut servi dans une coupe d'or et d'argent, cadeau d'un pape d'Avignon à l'un de ses grands seigneurs. Cette coupe était bénite et avait le pouvoir de protéger son bénéficiaire contre la peste qui sévissait alors en Avignon.

— Elle vous préservera de l'ennemi, me dit en souriant la noble dame.

J'appris qu'elle me connaissait de vue et savait que la fuite devant l'occupant m'avait conduite dans sa ville.

Je quittai tard l'aimable hôtesse et dus lui promettre de revenir.

En rentrant, je m'aperçus dans la glace d'un grand magasin moderne et me sentis comme dépaysée : je me retrouvais trop subitement au XXe siècle.

Mes investigations dans le passé ne pouvaient cependant me faire oublier la réalité de la guerre. La Pologne, le Danemark, la Belgique, la Hollande, tous ces pays envahis semblaient des parties arrachées à notre planète, sans possibilité de contact, d'où ne nous parvenaient que des signes rares et lointains de dévastations et de souffrances.

Mon désespoir au sujet des miens était immense ; je ne lui voyais plus de remède.

La France à son tour saignait. Bien qu'on essayât de se rappeler l'époque de 1914-1918 et qu'on évoquât volontiers la Marne, on n'y trouvait plus aucune analogie avec le temps présent. L'on ne voyait qu'un monde en train de s'effondrer.

IV

VICHY

Mais, très vite, je fus ressaisie complètement par mon inquiétude douloureuse.

Je perdis tout contact avec le passé et me retrouvai brusquement en pleine horreur de la réalité, celle de la guerre.

Lorsque mes cousins, réfugiés belges, m'annoncèrent qu'ils venaient d'arriver à Vichy et me proposèrent de les y rejoindre, j'éprouvai une véritable soif de revoir ces membres de ma famille.

Mon bon professeur, en vrai philosophe, me déconseillait de me mettre en route; il me recommandait de me confier à la Providence et d'attendre tranquillement au bord du Rhône la suite des événements.

Tout en admettant la sagesse de ses conseils, je ne pouvais cependant plus demeurer en place. J'avais aussi besoin d'un changement d'horizon et trouvais de l'attrait dans le seul fait du déplacement.

J'expédiai mes deux valises et je pris le train pour Vichy. Il nous fallut vingt heures pour atteindre Clermont-Ferrand en passant par Nîmes.

Chemin faisant, tout au long du cours de l'Allier qui semblait nous accompagner, je suivais d'un regard émerveillé les Cévennes avec leurs genêts, prestigieux tapis d'or.

Le train s'arrêtait fréquemment, les voyageurs descendaient pour se dégourdir les jambes; ils achetaient aux paysans du pain, du fromage, des fruits. Une cordiale camaraderie régnait. C'était comme une évasion hors de graves soucis.

En route, des soldats se joignaient partout à nous. La plupart se rendaient à Clermont-Ferrand, d'autres rentraient chez eux; un grand nombre gagnaient les lieux de rassemblement qu'on leur avait désignés.

Je me souviens qu'un officier, montant dans notre compartiment, nous dit : « Inutile d'aller plus loin, mes pauvres gens! Retournez plutôt sur vos pas. On se bat à Moulins! Les Allemands ont occupé la plus grande partie de la France. »

Personne ne prit ses déclarations au sérieux! On savait les Allemands à Paris depuis le 14 juin! Comment auraient-ils pu, en quelques jours, traverser tout le nord de la France et franchir la Loire?

Mais en arrivant à Clermont-Ferrand, nous apprîmes que les troupes allemandes remontaient, en effet, le cours de l'Allier. La consternation fut générale!

Il ne me restait plus qu'à rejoindre en hâte mes cousins. Je partis pour Vichy par un train improvisé pour les quelques voyageurs présents. Il n'y avait déjà plus de communications régulières.

Il était environ six heures du matin lorsque j'arrivai à destination. Je m'approchai de leur villa et de loin je pus reconnaître mon cousin occupé à fixer avec des cordes des matelas sur son auto. À côté de lui, de nombreux paquets. M'apercevant, il leva les bras au ciel :

— Malheureuse, que viens-tu faire à Vichy? Nous t'avons pourtant envoyé un télégramme te conseillant de renoncer au voyage !

Je répondis :

— C'est possible, mais rien ne m'est parvenu.

Ce fut là mon arrivée à Vichy.

Ayant embrassé mes cousines, je me mis comme tout le monde à préparer le départ. À dix heures, nous prîmes notre place dans la file des voitures se dirigeant vers Clermont-Ferrand.

Sur la route nationale, les véhicules allaient par rangs de quatre. Partout des camions chargés de femmes, d'enfants et de vieillards. Ceux-ci, installés sur des chaises, tenaient sur leurs genoux un enfant, un chat, un chien, une cage, des paniers ou des miches de pain. À côté d'eux, du bétail, des lapins.

À perte de vue, des cyclistes qu'encadraient de nouveau des camions, des voitures à chevaux et des automobiles recouvertes de matelas.

Devant nous roulait une voiture dont la vitre arrière était brisée. Par cet orifice, une vieille dame nous demandait à chaque instant, d'une voix anxieuse : « Est-ce que mes bêtes sont toujours là? » Sur le porte-bagages, il y avait une caisse avec des lapins, un chat dans un panier et des serins dans une cage. Nous rassurions la bonne dame.

La file des voitures avançait à la vitesse d'un kilomètre à l'heure. Nous descendions de temps en temps et nous marchions à côté de la route. Alors nous pouvions voir le défilé des évacués se perdre à l'horizon.

À un moment donné, des soldats arrivèrent dans le sens opposé. Comme la route était complètement embouteillée, ils avançaient, comme ils pouvaient, dans les champs. Ils nous crièrent : « Nous allons vers Moulins, où l'on se bat. Inutile, les enfants, de pousser sur Clermont-Ferrand. Non seulement il n'y a plus ni logement ni vivres, mais l'eau même commence à y manquer... D'essence, pas une goutte ! »

Ils paraissaient harassés. Plusieurs marchaient en savates et portaient leurs chaussures liées par une ficelle suspendue à l'épaule.

Plus loin, nous rencontrâmes, en tête d'une cinquantaine d'artilleurs, aussi fatigués que les fantassins qui les précédaient, plusieurs camions sur lesquels étaient juchés des 75 ! Les voitures des réfugiés durent se ranger sur les talus pour faire place à ce groupe.

Le passage des combattants fut repéré, semble-t-il, par des avions allemands de reconnaissance. Peu après, une clameur s'éleva : « Les avions, les avions ! » La D.C.A. de Clermont-Ferrand tirait. Quelques bombes allemandes tombèrent. Les gens se précipitèrent pêle-mêle dans les fossés.

Lorsque le défilé recommença, mon cousin décida : « Si Clermont-Ferrand est archi-bondé de réfugiés, il serait plus raisonnable de retourner à Vichy, d'autant plus que l'essence me manquerait pour revenir de Clermont. »

Nous acquiesçâmes et, à la première bifurcation, il donna les gaz et repartit pour Vichy. Nous fûmes très étonnés de constater que nombre d'autres évacués nous suivaient.

Nous retrouvâmes Vichy silencieux et morne.

On attendait l'arrivée des Allemands d'un moment à l'autre.

Les avant-coureurs de l'invasion avaient fait leur apparition à la mairie.

★

À six heures du soir arrivèrent d'abord de nombreuses motocyclettes, suivies bientôt d'artillerie, de tanks, de cavaliers et de fantassins, puis d'une multitude de camions.

L'occupation de Vichy commençait. Le soir, toute la ville parlait des milliers de bains que les Allemands avaient commandés, non seulement dans les hôtels, mais même dans l'établissement thermal, ainsi que du nombre incalculable de bouteilles de champagne consommées.

Les occupants laissèrent pour le moment l'administration aux autorités françaises. Ils avaient autre chose à faire.

Quantité de camions fermés traversaient la ville vers une destination inconnue. On pouvait voir à l'intérieur, lorsqu'ils entrouvraient leurs bâches pour charger un nouveau butin, des monceaux de vivres entassés.

Un jour, un attroupement d'enfants avides s'était formé autour d'un de ces camions. Je vis que le véhicule était rempli de tablettes de chocolat Menier.

Les camions stationnaient régulièrement devant l'abattoir et les gens regardaient les Allemands emporter des bêtes entières fraîchement abattues. Puis les ménagères allaient prendre leur place dans la queue des boucheries pour acheter une mince tranche de viande.

C'était pourtant encore l'âge d'or : de la viande tous les jours, jusqu'à soixante-quinze grammes à la fois.

La population vichyssoise menait encore une existence autonome. On se bornait à éviter les occupants. On n'allait pas dans les cafés qu'ils fréquentaient. On sortait des boutiques, en laissant la marchandise sur le comptoir, lorsque l'un d'eux franchissait le seuil.

Les Allemands achetaient de préférence des bas, mais surtout, disaient-ils, « pas de soie artificielle ». Dans les confiseries, ils mangeaient des gâteaux et des glaces à la douzaine et s'exclamaient, pensant que personne ne les comprenait : « Et dire que ça ne coûte que quatre pfennigs la pièce ! Il y a de quoi se tordre ! »

Tandis que les simples soldats achetaient tout ce qu'ils trouvaient dans les magasins, les officiers, étincelants dans leur tenue soignée, occupaient les terrasses des grands cafés-glaciers et vidaient dès le matin des bouteilles de champagne.

Les occupants n'avaient pas encore acquis « l'art de consommer ».

Les habitants, les réfugiés, les soldats démobilisés, passaient dans les rues et regardaient ce spectacle inusité. Chacun devenait de jour en jour plus irritable, se plaignait partout et de tout : de la vie pénible, des difficultés du ravitaillement, de la rigueur des temps, de l'avenir sombre, du spectacle quotidien de l'ennemi, des chefs du gouvernement et de l'abîme dans lequel on se voyait plongé.

L'amertume remplissait le cœur des Français.

Cette amertume qui sera comme la marée montante de la France envahie.

★

Le beau bureau de poste, fierté des Vichyssois, conservait obstinément ses portes et ses fenêtres closes. La foule passait devant tous les jours « pour voir ».

La joie fut grande lorsque enfin la poste rouvrit et que l'on put expédier des cartes d'abord, des lettres ensuite. On écrivait assis, debout, devant les guichets et à l'extérieur de la poste, installé sur des bancs. On écrivait partout, tout le monde écrivait. Des personnes qui n'avaient jamais aimé tenir la plume expédiaient des cartes en ces jours d'isolement ; chacun éprouvait un besoin de se sentir de la famille, des amis, des traits d'union humains.

La correspondance liquidée, c'était l'attente impatiente des réponses. Devant deux guichets, ouverts à cet usage, on voyait de cinquante à quatre-vingts personnes stationner du matin au soir.

Un vieux monsieur aux beaux cheveux blancs, mon voisin de banc dans le parc, venait, lui aussi, prendre place tous les jours dans les rangs, appuyé sur sa canne, et chaque fois il s'en allait les mains vides. J'attribuais sa déception à la lenteur des relations postales.

— Toujours rien ? lui dis-je un jour, lorsque nous quittâmes la poste ensemble.

— C'est que, au fond, je n'attends pas de lettres. Mais

le temps passe plus vite à la poste, en compagnie, et d'être devant un guichet, cela vous fait un petit effet d'espérer, répondit-il tout sérieusement.

Un jour, un gamin de dix ans se mit dans la file. Sagement, il attendit son tour.

— Pauvre petit, me dit en se retournant la dame qui me précédait (car on taillait force bavettes), il est probablement arraché à sa famille.

Arrivé au guichet, l'enfant demanda à l'employé une bande de papier collant. Il fut rabroué. L'exode l'avait amené là et, en attendant d'être remis aux siens, il jouait avec les autres petits « au facteur » et, pour ce jeu improvisé, il avait nécessairement besoin de papier collant en guise d'affranchissement.

Une vieille dame vint rapporter au guichet une lettre qu'elle avait décachetée et qui ne lui était pas destinée. L'employé demanda :

— Vous êtes bien madame Guilloux ?

— Oui.

— Madeleine ?

— Non, Marie.

— Pourquoi avez-vous pris la lettre ?

— Vous me l'avez remise, monsieur, et l'expéditeur aurait pu se tromper.

— Comment! votre famille, se tromper? Elle ne connaît pas votre prénom? dit sévèrement l'employé.

— Vous savez, par ces temps de guerre, on perd facilement la tête.

— Pour cela, c'est bien vrai, dit le fonctionnaire, conciliant.

L'employé de la poste était, d'ailleurs, ravi du rôle qui lui incombait. Pour une lettre reçue, une cigarette était discrètement déposée en signe de reconnaissance, accompagnée d'un sourire complice ou d'un « Merci » ému. Parfois, par contre, que d'explications ! « Pourquoi telle lettre n'était-elle pas encore là ? » – « C'est étrange qu'elle soit si longue à venir ! » – « C'est la guerre », répondait-il invariablement avec patience et philosophie.

La poste n'était pas seulement le grand contact avec le monde, l'invention merveilleuse d'où venaient la voix d'un disparu, un appel, une réponse, elle remplissait en outre des heures dont le vide était écrasant. Elle comblait les solitudes d'un vague espoir et créait, entre les êtres réunis devant le guichet, une solidarité humaine. Les gens se parlaient en sortant ou se disaient un bonjour dans la rue.

La solitude pendant ces semaines était un mal terrible qui marquait les visages rencontrés à la gare, à la poste, sur les bancs, sur les terrasses, partout.

★

J'avais décidé de reprendre immédiatement le train pour Avignon. Mais le lendemain de l'occupation la porte de la gare fut fermée et un écriteau annonça l'interruption de tout trafic jusqu'à nouvel ordre.

Ce fut alors un pèlerinage quotidien vers cette gare.

Pendant de longues journées la pancarte fatidique fut toujours là. À travers la grille on voyait passer des trains, mais l'espoir de pouvoir les utiliser était à chaque fois déçu : il s'agissait exclusivement de trains à l'usage des Allemands ou de convois de ravitaillement.

Je fus heureuse de trouver, par ces temps d'occupation militaire, une chambre tout à l'extrémité de la ville, chez des cheminots. La maisonnette, fruit des économies de deux générations de travailleurs, était coquette, entourée de fleurs ; mais on y avait installé par la suite, juste en face, un magnifique abattoir municipal. Lorsque le vent soufflait vers la maison, il apportait l'odeur âcre du sang. Toute la journée et toute la nuit les bêtes poussaient des beuglements lugubres. Ce voisinage me pesait étrangement.

L'armistice signé, mes cousins avaient regagné la Belgique.

J'étais restée seule, séparée de ma famille, de mes amis, perdue dans un abîme de tristesse.

Mes deux valises expédiées d'Avignon arrivèrent au moment où je songeais au départ. J'avais pris en six semaines les habitudes les plus primitives. Aussi les vêtements reçus me parurent-ils superflus.

Enfin le trafic des voyageurs reprit.

L'on ne saurait imaginer ce que fut mon départ de Vichy !

Dès que le premier train fut annoncé – il devait s'agir en réalité de wagons de marchandises, – des milliers de voyageurs préparèrent leur départ. Les réfugiés d'abord que l'exode avait laissés là, au hasard de la route, les baigneurs venus pour leur cure et que la guerre avait surpris à Vichy, des soldats démobilisés, parmi lesquels des blessés, tout ce monde resté en panne pendant des semaines voulait repartir. Beaucoup de Vichyssois aussi songeaient à se réfugier chez des parents ou des amis, afin de quitter la zone occupée.

Les voyageurs s'installèrent aussitôt devant et autour de la gare, ainsi que sur le talus de la voie ferrée.

La Croix-Rouge avait ouvert un peu partout des buffets où l'on pouvait trouver café, pain, fromage, fruits.

Réfugiés et soldats mangeaient par terre, les victuailles simplement étalées sur des journaux. Leur baluchon, la nuit, leur servait d'oreiller.

Lorsqu'un convoi était annoncé, ces gens se dérangeaient en traînant la jambe ; parfois, en entrant en gare, le train devait ralentir pour donner à la foule le temps de dégager la voie. Le chef de gare criait, gesticulait, agitait son fanion, faisait retentir une cloche. On lui répondait : « Ça va, ça va... On y va... on y va !... Il en fait des histoires, le chef de gare ! On l'a assez attendu ce train-là ! »

Les convois arrivaient donc sans avis préalable, amenant à Vichy des soldats français démobilisés et blessés ainsi que des troupes d'occupation.

Lorsque le train stoppait et que s'offrait la possibilité d'y prendre place, c'était la ruée générale ! En quelques minutes, tous les compartiments, les couloirs et même les toits des wagons étaient envahis. Sur les marchepieds de vraies grappes humaines s'accrochaient... Certains montaient par les fenêtres. Ceux qui n'avaient pas trouvé de place étaient condamnés à de nouvelles stations, pour des heures et même des journées. Ils s'en retournaient dans leur campement et reprenaient leurs parties de cartes. « Tant pis, disaient-ils philosophiquement, nous avons attendu six semaines, nous attendrons bien encore un jour ou deux. »

Tous étaient rompus, indifférents.

Je recevais de mon vieux professeur des lettres amicales, m'encourageant à revenir en Avignon.

Un jour, flanquée de mes deux valises, je vins m'installer à mon tour sur le quai. Une valise me servait de siège, sur l'autre je plaçais mes victuailles et un livre.

Je n'oublierai jamais l'entrée en gare du train et le voyage qui suivit. Le convoi se composait d'une quinzaine de wagons : en tête, cinq voitures de voyageurs, puis dix wagons de marchandises découverts, dont le plancher était jonché de paille.

Les réfugiés se ruèrent, comme d'habitude, et ce fut à qui, du plus faible ou du plus fort, l'emporterait dans cette lutte.

Le train était déjà bondé lorsque les portes de la salle d'attente s'ouvrirent : des blessés, portés sur des civières, sur des chaises, ou se soutenant mutuellement, pénétrèrent sur le quai.

Le chef de gare cria : « Dégageons la place pour les blessés ! »

Tous les hommes valides se levèrent et descendirent. Les éclopés furent installés dans les compartiments, allongés sur les banquettes ou assis. Certains, les plus gravement atteints, furent déposés sur la paille dans les wagons de marchandises où ils se trouvèrent plus à l'aise.

Les infirmières annoncèrent qu'il restait encore un certain nombre de places libres pour les vieillards, les femmes et les enfants. Il y en eut une pour moi. Ceux qui pouvaient monter en plus s'installèrent à la bonne franquette, un peu partout. L'on se trouvait plutôt à l'étroit, mais content.

Enfin le train se mit en marche. À la vérité, il n'avançait qu'au pas. À la station suivante, nouvelle ruée de voyageurs! Cette fois tous les couloirs furent pris d'assaut. Des soldats s'étaient juchés sur les filets. Les protestations fusèrent : « Les places aux voyageurs, pas de bagages! Qu'on s'en débarrasse à la prochaine station! »

Nous nous trouvâmes à la queue devant la porte de la consigne d'une petite gare inconnue. Quiconque avait des bagages les déposait avec ordre de les faire suivre – mais non sans appréhension : leur avenir apparaissait fort problématique...

Le convoi s'arrêtait partout pour des raisons mystérieuses que personne ne cherchait même à deviner. On en profitait pour se dégourdir les jambes, après avoir chaleureusement recommandé la garde de sa place à ceux qui ne se dérangeaient pas.

Malgré la lenteur du voyage et l'incommodité de notre installation, le temps ne me paraissait pas long.

En regardant par les fenêtres, les soldats parlaient de la terre vers laquelle ils retournaient.

L'un dit, l'air soucieux :

— Comment se sont-ils débrouillés, là-bas? On manquait déjà de bras avant notre départ!

— Il paraît qu'ils s'en tirent quand même, répondit un autre. Pourvu que la moisson soit bonne!

— Par ici il me semble qu'il y a eu de la sécheresse, objecta un troisième.

Il désigna d'un geste large les vastes espaces devant lui.

— Oui, soupira rêveusement le premier, ils semblent s'en tirer.

Il sortit de sa poche une photo.

— Mon aîné, regarde. C'est déjà un homme, et pas

fainéant, ni au champ ni à la table! Celle-ci, c'est ma
bourgeoise, elle va sur ses cinquante, on ne le dirait pas!

— Non, on ne le dirait pas, répondit l'autre.

Et il montra à son tour la photo de sa Louise. On la trouva
belle fille, mais on s'exprimait avec modération. C'était sa
promise, alors on ne blague pas là-dessus. C'est sacré...

Un soldat tira une sacoche enveloppée de papier de
journal. Il voulait l'offrir à sa femme. Des cadeaux choisis
en hâte, un quart d'heure avant de courir au train, passaient de main en main.

Parmi eux, une petite poupée qu'une recrue imberbe
avait emportée pour sa sœur de six ans.

— J'ai eu l'idée de l'acheter à Vichy, parce qu'elle ressemble à ma petite frangine comme une sœur jumelle.

Tous rirent.

Personne ne parlait ni de guerre ni d'avenir.

Les plaisanteries, les anecdotes, les mots grivois qui
fusaient autrefois dans les wagons de troisième avaient
disparu.

Personne ne parlait non plus des jours sinistres.

Mais ils pesaient de tout leur poids dans ces cœurs
rudes de soldats, dans la décence de leurs propos, dans
leurs regards qui suivaient champs et prairies au rythme
lent du train.

★

Souvent d'autres convois nous croisaient; c'étaient des
conversations, des échanges de nouvelles et même des
rencontres providentielles.

Des religieuses, des infirmières de la Croix-Rouge et des gens du pays venaient distribuer victuailles, boissons et journaux, avec des paroles d'encouragement.

Le train reprenait lentement sa marche. Les soldats ouvraient leurs musettes et en sortaient du pain et du fromage, faisaient circuler entre eux leurs bidons de pinard. Ils buvaient à la régalade.

La solidarité s'affirmait entre tous les voyageurs voués à un lendemain incertain. Tous s'entendaient, s'accordaient, partageaient leurs vivres, vibraient à l'unisson. Je reçus un bon morceau de fromage avec une tranche de pain bis.

Mon voisin, un petit blessé tout blond, presque un enfant, m'offrit un morceau de chocolat. La nuit, il souffrait tellement de sa jambe repliée qu'il la posa, dans son sommeil, sur mes genoux, et je restai sans mouvement pour ne pas le réveiller.

Je ne sais plus si le voyage dura dix-huit ou vingt-quatre heures. Arrivés en Avignon, nous dûmes tous passer la nuit sur les bancs de la salle d'attente : l'encombrement dans la ville était tel que le service d'ordre ne nous permettait pas de quitter la gare avant le jour. Seuls les blessés furent emportés vers les hôpitaux.

Le lendemain, je vins à la rencontre de mon bon professeur, dans le paisible jardin public. Je le trouvai assis au soleil, comme si je ne l'avais quitté que la veille. Il me reçut avec sa sollicitude coutumière et me félicita de ma mine excellente en me plaisantant sur mon odyssée vichyssoise.

Je dus lui en raconter toutes les péripéties.

Au cours de mon récit, je sentis nettement que ce

déplacement, au fond inutile, n'avait pas été pour moi une déception. J'avais vécu en étroit contact avec le peuple français, gardant jusque dans l'infortune sa gaieté et son équilibre.

Je regrettais un peu mes valises qui, malgré la reprise du trafic ferroviaire, ne reparaissaient plus. Trois semaines plus tard, cependant, après un long vagabondage, elles me rejoignirent fidèlement en Avignon, comme elles m'avaient rejointe à Vichy. Mais dans quel état! Les couvercles défoncés, les courroies arrachées, les cadenas rouillés. Vraies invalides de guerre! À l'intérieur, les vêtements étaient recouverts de moisissure. Mais rien, absolument rien, ne manquait.

À cette occasion, l'employé de la consigne eut une parole qui ne manquait pas d'à-propos :

— Des centaines de malles sont égarées, dit-il, vous en avez de la veine!

N'était-ce pas à peu près la remarque de l'employé de la gare du Nord à l'arrivée de ma malle à Paris? Or, cette malle, si miraculeusement rescapée, avait été confisquée par les Allemands à Paris même, sous le prétexte racial. Le garde-meuble venait précisément de m'en aviser par carte postale à mon retour en Avignon.

V

AVIGNON

Août-novembre 1940

À quel point peut changer l'atmosphère d'une ville en quelques semaines !

Lorsque j'avais quitté Avignon en juin, la Provence, pleine de quiétude, exhalait son charme. Au jardin public, les vieillards somnolaient dans une douce béatitude, parmi les enfants qui jouaient autour des bassins. Aux heures des repas, les restaurants répandaient l'odeur alléchante de plats où dominait la senteur de l'ail. L'après-midi, de belles filles amoureuses se promenaient, enjouées. Des garçons leur souriaient et leur lançaient des propos galants. Partout des gens paisibles. La ville vivait, en dehors de la guerre, son existence calme et sans heurt.

Maintenant les bancs étaient occupés par les soldats ; certains avaient la jambe ou le bras bandé. Des blessés respiraient aux fenêtres et sur les balcons de plusieurs hôtels transformés en hôpitaux. Des officiers et soldats allemands parcouraient les rues d'un air guindé. Les machines à écrire laissaient entendre leurs voix métalliques. Elles venaient des fenêtres d'hôtel. C'était la commission dite économique qui s'agitait ainsi dans la cité paisible du Moyen Âge.

En juin, le marché regorgeait de mottes de beurre, de monticules de fruits, de fromages les plus divers, de belle viande fraîche à l'étal des bouchers. Maintenant le beurre était introuvable, le fromage de même. Finis la bonne humeur et le babillage des commères. Le « régime des queues » avait été inauguré devant les boutiques et au marché. Un silence morose y régnait, interrompu de temps à autre par des querelles et des discussions.

Des soldats français de toutes armes, démobilisés, attendaient les trains qui les ramèneraient dans leurs foyers. Il y avait tous les jours des départs. Ceux des pays occupés recevaient des instructions qui leur indiquaient les convois qu'ils devaient prendre par ordre alphabétique. Ceux des zones interdites devaient renoncer à l'espoir du retour. On leur assignait des résidences provisoires. Des affiches apposées à la mairie, les journaux et la radio répandaient ces instructions.

Désœuvrés, démoralisés, ils flânaient aux terrasses des cafés, sur les bancs, au grand soleil devant le Palais des Papes. Ils avaient horreur des conversations sur la guerre. Des événements auxquels ils avaient pris part, ils ne savaient rien !

Quand on les interrogeait, ils répondaient : « La guerre est, paraît-il, terminée. On nous a dit de partir et nous sommes partis, sans arriver nulle part. Voilà ! C'est marrant, que voulez-vous qu'on vous dise ? Vous avez vos journaux, vous n'avez qu'à les lire. » Et l'un d'eux, avec un geste dans la direction de la radio : « Allez-y ! Il en sait plus que nous et il a la langue bien mieux pendue ! Ah ! les salauds ! On ferait bien de les faire taire ! Ils nous ont mis dans un beau pétrin ! »

Un jour, de très bonne heure, j'allai m'installer au jardin public pour y respirer la fraîcheur matinale. Une femme vint prendre place près de moi. Elle avait entre les mains un missel et son chapelet. Elle m'adressa, à la manière du pays, quelques paroles de salutations ; puis, bientôt, elle se mit à me raconter son histoire.

Elle était venue de Château-Renard pour voir son fils en traitement à l'hôpital, section des « commotionnés ». Par suite des bombardements, il avait subi un choc nerveux. Il reconnaissait sa mère, mais semblait déséquilibré : il parlait, sans suite, de bombes, de sang, de camarades qu'il avait vus s'effondrer à côté de lui, et il vivait manifestement dans l'obsession des drames passés. Elle avait l'autorisation de lui tenir compagnie deux heures, matin et soir. Alors, comme à un petit enfant, elle lui parlait du pays, de ses frères et sœurs, de ses camarades d'école, des bêtes de leur ferme, tâchant ainsi de l'intéresser à tout ce qui semblait pour lui effacé.

Je revis cette mère à deux reprises encore. Elle me raconta les améliorations qu'elle croyait constater.

Un matin, je la rencontrai qui conduisait par le bras un jeune soldat en tenue d'hôpital. Elle était radieuse...

Ils passèrent ; je ne devais plus jamais les revoir.

À cette époque, la police d'Avignon se mit à son tour à « organiser » les réfugiés. Tous furent convoqués à la mairie et l'on recommença à faire queue, cette fois sous un soleil torride.

Tournant et retournant les papiers, les gendarmes de

la paisible cité se consultaient et ils avaient l'air tellement embarrassés qu'ils faisaient pitié. Ils examinaient des circulaires et des règlements, donnaient des renseignements, des ordres et des consignes un peu au hasard.

L'un d'eux, après avoir examiné mon passeport, me dit sur un ton d'interrogation :

— Alliée? Vous êtes bien une alliée, n'est-ce pas? Alors, ça va de soi, n'est-ce pas? Ah! oui, les Polonais! En voilà des gaillards qui se sont bien battus! Alors, ça va!

J'acquiesçais bien entendu à toutes ces remarques et... le cachet de la mairie fut apposé vigoureusement sur mon permis de séjour.

C'était la belle époque!

Mon séjour en Avignon devait, cette fois-ci, se prolonger d'août à fin novembre.

J'allais souvent à la bibliothèque municipale; je m'intéressais à la vie et à l'œuvre de Mistral. Assis à côté de moi, mon professeur étudiait le même auteur dans le texte provençal, radieux de pouvoir lire couramment l'original. La bibliothèque contenait la collection la plus complète des documents relatifs à l'histoire d'Avignon.

L'après-midi, j'allais m'installer sur les berges du Rhône et je regardais pendant des heures le cours véhément du fleuve. Il charriait les objets les plus hétéroclites, même des arbres qu'il paraissait avoir déracinés dans sa fougue. Tantôt on voyait l'arbre virer comme un fétu de paille dans les tourbillons, tantôt se dresser de toute sa hauteur, égrenant de ses feuilles des gouttes innombrables qui brillaient comme diamants au soleil.

Vers l'automne, le Rhône se mit à monter à vue d'œil.

Il recouvrait les berges, y submergeait plantes et arbris-
seaux, s'étalait en maître sur les rives et montait le long
des piliers des ponts.

L'atmosphère d'Avignon devenait de plus en plus
froide. La nuit, le vent frappait rageusement contre les
fenêtres et les volets, ébranlait les maisons, secouait
les arbres avec une force titanique.

Il s'attaquait avec violence aux passants.

Je connus la force du mistral lorsqu'un jour, après m'avoir
poussée pendant un bon bout de chemin, il me projeta
contre un arbre qu'il secoua à son tour du haut en bas.

Mon bon professeur, si paisible, lui aussi attaqué,
déclara qu'il allait tout bonnement fuir le mistral et partir
pour Nice, son séjour hivernal de prédilection.

★

Rien ne me retenait en Avignon. Des miens, aucune
nouvelle, aucun signe de vie. Je portais en moi une nostalgie et une inquiétude qui me faisaient souhaiter un
changement de résidence.

Il fallait un sauf-conduit pour Nice. Le bureau des visas
s'était installé dans un gracieux petit palais, ancienne résidence d'un cardinal. La cour était ombragée de platanes.
Au centre, une fontaine murmurait. Tout en stationnant,
j'admirais les fenêtres et les portes ornées de fort beaux
motifs en fer forgé.

Lorsque arriva mon tour de comparaître devant le gendarme de service, je regrettai presque de devoir quitter ma
place.

— Vous êtes étrangère ? me dit le gendarme avec un fort accent local, et il ajouta : Pas de visas pour Nice aux étrangers, ma bonne dame. Rien à faire !

L'après-midi, mon professeur, accompagné de son filleul, M. Olive, me retrouva à la terrasse de notre café habituel.

Je racontai ma déception de la matinée et m'écriai d'un ton mi-sérieux, mi-rieur :

— Où trouver un Français pour un mariage blanc et être libérée de ces éternelles tribulations !

— La France abrite trop d'étrangers, c'est là le malheur, opina sentencieusement M. Olive.

On parla d'autre chose.

Le lendemain, vers cinq heures, nous nous retrouvâmes à la même terrasse. M. Olive arriva rayonnant. De loin, il nous fit des signes et, s'approchant, il nous souffla :

— Je l'ai, je l'ai, le futur ! Il va venir dans un instant.

En hâte, il nous donna explications et conseils :

— Vous, madame, vous allez vous retirer un peu à l'écart afin de n'être pas mêlée à l'entretien préliminaire. Nous allons nous installer à l'intérieur.

Par phrases entrecoupées, il raconta qu'il avait fait la trouvaille d'un bonhomme pouvant « faire l'affaire » et auquel il avait donné rendez-vous pour cinq heures et quart.

— Le voilà, d'ailleurs, s'écria-t-il.

Puis se précipitant vers la porte :

— Approchez, approchez, cher ami !

Nous vîmes un petit vieux trottinant, un septuagénaire propret, s'appuyant sur une canne et soulevant son chapeau de paille. M. Olive fit les présentations.

— M. Devitrolles, commerçant en retraite, actuellement pensionnaire à l'asile de la ville – mon parrain.

De mon coin, je pouvais assister à la conversation en
spectatrice muette.

— Eh bien, monsieur Devitrolles, commença M. Olive,
comme je vous l'ai expliqué, vous allez vous marier avec
une dame qui a besoin de votre beau nom. Vous toucherez
une certaine somme, qui vous permettra d'améliorer l'or-
dinaire de l'asile. Vous aurez, par-dessus le marché, un
beau complet, un chapeau noir, une cravate pour aller à la
mairie. Mais aussitôt après le mariage, votre femme partira... Vous avez bien compris, c'est entendu ?

— C'est entendu, répondit le vieux, mais il faut que je
la voye, la dame. (Il disait *voye*, avec l'accent provençal.)

— Vous la verrez, bien entendu, répliqua M. Olive,
mais cette dame étrangère partira le soir même du mariage.

— Une étrangère ? s'enquit, intéressé, M. Devitrolles.
Ce n'est-il pas au moins une Auvergnate, cette étrangère ?
C'est que moi je n'aime pas du tout les Auvergnats.

— Non, elle n'est point auvergnate, mais cela importe
peu, puisque de toute façon elle repart. C'est compris ?

— Elle est bien pressée, la dame, ma femme, observa
M. Devitrolles.

— Oui, elle est pressée, c'est qu'elle part pour l'Amérique !

— Oh ! là, là, là, là, elle n'y va pas de main morte. C'est
bien loin, les Amériques.

— Oui, c'est bien loin, répondit l'infatigable M. Olive,
mais elle part et vous voilà aussitôt revenu à vos petites
habitudes. Ça vous va ?

— Ça me va, mais il faut que je la voye, la dame.

— Oui, oui, vous la verrez. Vous la verrez assez, répondit M. Olive avec un peu d'humeur; vous la verrez assez. Et puis, d'ailleurs, elle va vers ses quatre-vingts ans et elle est un peu bossue. (Par ces détails inventés, M. Olive espérait décourager définitivement M. Devitrolles, qui paraissait ne pas avoir saisi qu'il s'agissait simplement d'un mariage blanc.)

M. Devitrolles eut alors une réponse catégorique et inattendue :

— Eh bien, ça ne me va point! C'est que nous ne voulons guère d'une bossue de quatre-vingts ans! Ah! ben non, nous n'en voulons point!

— Mais puisqu'on vous dit qu'elle part! qu'elle part! qu'elle part! On se tue à vous le répéter, se mit alors à crier M. Olive.

— Nous n'en voulons point de votre bossue, ponctua définitivement M. Devitrolles, furieux à son tour, en frappant de sa canne sur le marbre de la table.

Mon bon professeur, n'en pouvant plus, partit d'un éclat de rire homérique. Je riais derrière mon journal. La scène prenait une tournure de plus en plus drôle.

D'autres consommateurs commençaient à s'y intéresser.

M. Olive avait perdu patience.

— Vous n'êtes qu'un sot, vociféra-t-il.

M. Devitrolles, sans oublier d'avaler le reste de son chambéry-fraise, se leva, prit sa canne, son chapeau et sortit dignement en grommelant.

M. Olive nous regarda comme pour nous prendre à témoin.

— Il n'y a pas de quoi rire, fit-il, réellement fâché.

J'avais déniché le type sérieux, pas compromettant, installé à perpétuité dans un asile et, par-dessus le marché,
porteur d'un nom aristocratique, et voilà, pas moyen
de démarrer. J'ai mis la main sur un gaga, ce n'est pas de
veine.

Le pauvre garçon s'épongeait le front. Puis, rasséréné,
il prit à son tour le parti de rire.

Mon professeur et moi avions savouré le comique de
cet intermède bien symptomatique.

Les cas de mariages blancs étaient assez fréquents en
France. Ces expédients saugrenus éludèrent les difficultés
pendant une certaine période. Leur validité fut abolie vers
1942.

VI

NICE

Décembre 1940

Des amis français m'envoyèrent une invitation visée par la préfecture de Nice qui aplanissait toutes les difficultés : j'obtins aussitôt le précieux sauf-conduit.

Je quittai Avignon en plein hiver, laissant derrière moi froid, pluie et vent. À partir de Marseille, j'avançais dans une féerie. La Corniche se dorait de ses mimosas, se parait de ses champs d'œillets : partout, citronniers, orangers, oliviers avec leurs fruits aux branches se détachaient sur le fond vert sombre des palmiers. Un monde exotique s'étalait devant moi entre une mer et un ciel d'azur.

Je me croyais transportée dans un pays de conte de fées. J'étais éblouie. J'allais vers un paradis terrestre !

J'ignorais que j'allais en même temps vers l'époque la plus dramatique de mon existence !

À la gare de Nice, une amie de Paris m'attendait. Tout en me guidant vers la rue de France, où nous montâmes dans un petit tram vieillot qui avançait avec force secousses et grand fracas de ferraille, elle me mettait au courant de la vie de Nice. Elle me conduisit à un petit hôtel, situé sur le bord de la mer, dans le quartier de Sainte-Hélène.

L'hôtel, entouré de palmiers et de citronniers, donnait de toutes les fenêtres sur le vaste horizon de la mer.

Quelques jours après, je pris contact avec des personnes de Paris que je savais réfugiées à Nice.

Ce furent d'abord des révélations navrantes sur tout ce qui s'était passé dans la capitale : bombardement d'Auteuil, occupation, exode en masse !

J'appris de même des nouvelles terribles sur les pays occupés et je fus reprise par une angoisse déchirante au sujet des miens.

Les informations arrivaient par quelques journaux étrangers que l'on pouvait encore trouver à l'époque. Parmi eux, l'hebdomadaire de Zurich, la *Weltwoche*, jouissait d'une grande popularité.

D'autres nouvelles se propageaient de bouche en bouche, traversant les frontières, bravant censures et contrôles, nous parvenant toutes fraîches et palpitantes d'horreur. À cette époque, il n'y avait guère que des nouvelles désastreuses.

J'appris aussi force détails sur la vie locale, ses possibilités et ses tribulations : la plus grande difficulté était d'obtenir un permis de séjour... Les gens se voyaient refoulés par centaines.

Après huit jours, riche d'indications et de conseils, je me rendis à la préfecture.

J'arrivai par le quai des États-Unis et la rue Saint-François-de-Paule, et me trouvai subitement au milieu d'un splendide jardin de fleurs coupées.

C'était un jour de marché aux fleurs ! Enchantée, j'embrassais du regard l'ensemble du lieu, puis je m'arrêtais devant les éventaires pour admirer de plus près. Les œillets d'espèces les plus variées dominaient en cette saison. Il y avait encore, en 1940, des fruits qui complétaient heureusement ce décor. (Plus tard, on verra oranges, citrons et mandarines sur les arbres seulement; réquisitionnés, ils disparaîtront du marché et des étalages.)

L'heure pressait. Je me hâtai vers la préfecture. En m'approchant, je vis une longue chaîne de gens immobiles. Elle contournait l'angle de l'édifice officiel.

Des agents faisaient les cent pas.

Un sentiment de défaillance me saisit et j'hésitai un instant à avancer. Mais impossible de reculer!

Je pris ma place dans les rangs.

Il était deux heures de l'après-midi. Vers cinq heures, je me trouvai devant le guichet. Pour la première fois, j'eus l'idée de recourir à ma recommandation de la présidence du Conseil. Je tendis mes papiers au fonctionnaire. Il les parcourut rapidement :

— Présidence du Conseil! Daladier! Rien de ça n'est plus en vigueur!

C'était le refus.

Mais une chance semblait décidément me favoriser dans les difficultés administratives. Vingt-quatre heures avant la date de mon départ obligatoire de Nice, les deux journaux locaux rapportèrent que les hôtels, en pleine crise de guerre, avaient protesté contre les mesures d'expulsion. L'industrie hôtelière, en danger de péricliter, demandait l'autorisation de séjour pour les étrangers. Elle s'engageait, de son côté, à collaborer avec les services de ravitaillement pour conjurer les difficultés d'approvisionnement.

C'est ainsi que, par un concours de circonstances imprévues, je pus rester à Nice.

Mon petit hôtel m'était sympathique et je décidai d'y rester. Toute la journée, il y régnait un silence reposant rempli du murmure de la mer.

Mais aux heures des repas, la maison retentissait d'éclats de voix. M. Thérive, directeur et chef de cuisine de l'hôtel, bellâtre bavard et très sûr de lui-même, était possédé du démon de la politique. Des hors-d'œuvre au café, il faisait fonctionner la radio avec une telle intensité qu'il fournissait des nouvelles aux voisins et même aux passants.

C'était précisément la radio qui lui offrait les sujets d'une polémique où il se jetait à corps perdu. Généralement, on discutait entre les émissions, mais lorsque les interlocuteurs s'échauffaient, la voix du haut-parleur ne les faisait plus taire.

Mme Marguerite, la patronne, petite personne effacée, douce et fort simple, tournait alors discrètement le bouton. Souvent, les polémistes ne s'en apercevaient même pas.

Le chef était ennemi déclaré des Allemands et antisémite « par principe ».

M. Martin, officier de marine, démobilisé, très bel homme, se mettait dans des colères bleues à chaque appréciation favorable aux Britanniques. Il s'en allait souvent au milieu du repas pour ne pas entendre ces éloges.

Un étudiant, M. Petitjean, grand, sportif, chef d'un camp de jeunesse niçois, était collaborationniste convaincu. Il se référait en toutes choses aux Allemands, « peuple, disait-il, le plus avisé de la terre ». Savourant les harangues antisémites, il renvoyait ses interlocuteurs à *Mein Kampf*, dont il possédait une traduction et qu'il prêtait volontiers. M. Huyard, colonel retraité de la première guerre mondiale, se prononçait contre ces idées excessives « qui, disait-il, feraient la perte de la France, pays d'équilibre, de mesure et de tolérance ».

Quant aux réfugiés, ils ne se mêlaient pas aux discussions. Blessés par ces attaques indirectes, ils se consultaient sur les possibilités de changer d'hôtel et d'ambiance ; mais partout, l'on parlait politique avec la même véhémence.

Lorsqu'ils pensaient aux persécutions qui sévissaient dans bien d'autres pays, leur propre existence leur paraissait presque enviable, et ils se taisaient.

La fierté n'était plus de mise. C'était un luxe inaccessible, même aux Français de cette époque.

Heureusement, après les repas, l'hôtel retombait dans son bienfaisant silence habituel.

★

Un jour, M. Thérive annonça que les pensionnaires qui voudraient dorénavant prendre leurs repas en ville allégeraient grandement sa tâche. Les difficultés du ravitaillement devenaient pour lui insurmontables.

Dès lors, j'allais déjeuner et dîner au hasard des restaurants.

Je fis connaissance des vieux quartiers niçois, d'une population au langage pittoresque et de la cuisine si spéciale du Midi.

La Promenade des Anglais, avec ses grands édifices à l'aspect de cliniques, voisinant avec des immeubles de rapport d'un modernisme exagéré, ses kiosques et ses constructions rustiques, était d'une banalité affligeante. L'ambiance artificielle de la plupart des cafés et autres locaux publics était pénible, d'une tristesse pour ainsi dire palpable.

Les gens riches allaient respirer l'air du casino, perdaient là de fortes sommes sans même être de vrais joueurs. Je me souviens d'une Viennoise disant à son mari d'un air bouleversé :

— Mon pauvre ami, qu'est-ce qui t'a pris, toi qui avais toujours horreur du jeu?

— Je joue pour oublier; mes pensées me font encore plus horreur que le jeu.

Pour tuer le temps, certains faisaient des excursions et rentraient harassés.

Dans les villas et les hôtels, on s'adonnait au bridge pendant des journées entières et tard dans la nuit, jusqu'à l'abrutissement.

D'autres préféraient rester chez eux ou aller chez un ami palabrer sur la politique. Discussions oiseuses, car personne n'arrivait à s'orienter.

Un grand nombre de réfugiés se préparaient à l'émigration. Ils comptaient sur un parent plus ou moins proche, sur un ami, ou sur l'ami d'un ami, sur des connaissances établies dans de lointaines parties du monde et qui les aideraient, pensaient-ils, à réaliser ce projet.

Ils entretenaient une correspondance laborieuse, à mots couverts, lançaient des télégrammes coûteux, demandaient des affidavits, des visas, recevaient des réponses, des contre-demandes, des questionnaires, des circulaires qui engendraient une nouvelle vague de correspondance.

Ensuite, ils stationnaient des matinées entières devant les consulats pour apprendre que tel ou tel document manquait, n'était pas conforme aux prescriptions ou se trouvait être inexact. Lorsque quelques-uns sortaient avec un visa, ils étaient regardés comme des phénomènes, comme des bienheureux!

Les départs étaient peu nombreux.

Des bureaux, des agences et des offices d'émigration fournissaient des renseignements, se chargeaient des formalités et promettaient monts et merveilles. Ils prenaient des acomptes et des arrhes, que les réfugiés leur versaient avec empressement. Or ces promesses n'aboutissaient jamais. L'émigrant se voyait volé; il avait eu, du moins, une période d'espoir.

Mes affections et mes attaches me liaient à l'Europe et je n'ai pas fait de tentatives d'émigration.

L'existence était devenue pour tout le monde sans entrain et sans enthousiasme... Aussi, par période, tombions-nous dans une indifférence morne, dans une inertie complète.

Lorsque l'envie me prenait de voir du monde, je n'avais qu'à me diriger vers la Promenade des Anglais. Il suffisait de s'asseoir dans les parages du boulevard Gambetta, du casino ou du jardin Albert-Premier pour rencontrer des « connaissances », dont souvent on ne se rappelait même pas le nom, ou pour en lier de nouvelles. Ces gens perdus et dépaysés étaient désireux de rompre un silence trop pesant, soit pour alléger, par des confidences, leurs lourdes préoccupations, soit pour apprendre, en bavardant, des nouvelles sur les événements politiques ou l'histoire d'autres réfugiés. Tout valait mieux que de se morfondre dans l'isolement.

Un jour, une dame polonaise de soixante-douze ans me raconta son exode, au cours duquel elle avait perdu toute sa famille. Elle était à moitié égarée.

Je connus de même, sur un banc, une Norvégienne dont le mari, au moment d'être arrêté comme otage, avait pris la fuite. Elle l'avait rejoint en Suède, puis ils étaient venus... à Nice! Ils songeaient maintenant à se rendre en Angleterre, où lui voulait s'engager. Elle le suivait dans toutes ses pérégrinations.

Un millionnaire hollandais attendait l'aide d'amis d'Amérique : il était sans ressources.

Un vieux couple de diamantaires, âgés à eux deux de cent cinquante ans, partis d'Anvers avec quelques pierres précieuses cousues dans la doublure de leurs vêtements, se plaignaient à tout venant de leur grande fortune perdue.

Des Anglais et des Américains, habitant les palaces, se promenaient et excursionnaient jusqu'au moment où leurs gouvernements respectifs leur signifièrent l'ordre de rentrer par le premier bateau en partance.

Des solitaires de tous pays, détachés du reste de leurs familles, stationnaient devant le casino, les devantures des magasins, au hasard des rues et des places. Ils s'installaient sur les bancs et les chaises en location, remplissaient l'intérieur et les terrasses des cafés du matin au soir.

Des juifs, de tous les pays occupés, tournaient dépaysés, sans but et sans espoir, dans une inquiétude et une agitation toujours grandissantes.

Ce qui pesait le plus, ce qui anéantissait toute énergie et toute résistance, c'était le désœuvrement.

Un matin, je m'étais assise en face de la mer, à côté d'une jeune dame d'un type slave prononcé et d'une rare beauté. Elle tricotait. Au bout de quelques minutes, elle entra en conversation avec moi. Après avoir jeté un regard furtif autour de nous, elle se tourna vers moi et me confia, presque à l'oreille, qu'elle tricotait pour gagner sa vie. Elle me demanda de la recommander à l'occasion et me pria en même temps de ne pas la trahir, comme si son travail avait été un délit! Or, il en était ainsi. J'en devais faire moi-même l'expérience à mes dépens.

J'avais découvert, rue Gioffredo, un vieux libraire. Au milieu des bouquins d'occasion, nous bavardâmes. Le bonhomme s'intéressait plus à son commerce qu'à sa profession. Il me parlait remises, bénéfices, papeterie, clientèle, dureté des temps. Tout en l'écoutant, j'examinais ses volumes poussiéreux et je constatai qu'il s'y trouvait des exemplaires rares. Je lui dis que j'aimerais faire le classement de ses livres. Voyant son hésitation, j'ajoutai qu'il s'agissait, bien entendu, d'un travail à titre gracieux, par intérêt de bibliophile. Il acquiesça avec empressement. Munie d'une lettre de sa part, je m'en fus au service compétent pour prendre des renseignements. Un fonctionnaire d'aspect débonnaire fumait sa pipe au milieu des paperasses accumulées. Je lui présentai le mot du bouquiniste en y joignant mon attestation de libraire.

— « ... bien travaillé pour la France... accorder toutes les facilités... », se mit-il à lire à mi-voix.

Changeant de ton, il ponctua :

— Pas de permis de travail aux étrangers! Quant à votre recommandation... vous savez! La présidence du Conseil de 1939! C'est plutôt compromettant!

Et il ajouta, réprobateur :

— Tous ces étrangers! Ils mangent notre pain et ils veulent encore travailler chez nous.

Là-dessus, il nota mon nom et mon adresse. Je m'en fus fort inquiète. Et pour cause! Ma démarche me valut deux visites successives d'un agent cycliste qui venait s'assurer que je ne travaillais pas.

Les locataires de l'hôtel furent fort intrigués par ces visites mystérieuses.

— C'est un visa de sortie qu'il vous apporte? demanda l'un avec un peu de jalousie.

— Est-ce un ordre de refoulement? s'enquit un autre, avec un peu de pitié.

Fin janvier 1941, M. Thérive décida la clôture définitive de son établissement.

— Il n'y a plus que les pensions et les hôtels de luxe, de tous ces juifs, qui peuvent tenir, soupirait-il.

— Comment! s'étonna quelqu'un. La grande industrie hôtelière est donc aux mains des juifs?

— Ce n'est pas cela que j'ai voulu dire. J'appelle ainsi tous les gens qui se débrouillent, répliqua M. Thérive.

— Voyons, monsieur Thérive, ce que vous dites là n'est pas digne de vous, protesta le colonel. C'est une iniquité de faire du tort à des gens qui sont de bons Français comme vous et moi, et vous blessez d'ailleurs vos pensionnaires israélites qui se sont réfugiés chez nous en France.

— Ceux-là, je fais pour eux une exception. Ce sont des gens moralement propres, répondit magnanimement M. Thérive.

Il savait les réfugiés plongés dans des soucis et des ennuis grandissants, ce qui lui donnait envers eux une liberté qui ne ménageait guère les sensibilités.

Médiocrement intelligent, il échouait régulièrement dans toutes ses entreprises, et ses insuccès lui avaient fait l'âme envieuse. « Les juifs ont toujours été parmi les veinards », disait M. Thérive. Aussi se laissait-il complètement convaincre par les théories raciales.

★

La propagande allemande sévissait alors librement en France et pesait de toute son influence sur la presse. Beaucoup de journaux français développaient avec verve les théories nazies. Certaines feuilles s'y consacraient, d'ailleurs, avec une telle ardeur qu'il était impossible de douter de leur sincérité.

À en juger par les pages entières exposant le « problème » juif et abondamment illustrées de caricatures, tous les malheurs de la France, de l'impréparation à la débâcle, étaient imputables exclusivement à Israël.

Quant à la radio, entièrement entre les mains des Allemands, non contente d'émettre quotidiennement des injures contre les juifs contemporains, elle organisait une série de leçons de vulgarisation sur l'histoire des Hébreux et prouvait l'ignominie et les méfaits de ce peuple, déjà bien avant notre ère.

Des volumes, des brochures, des feuilles volantes étaient distribués à titre gracieux, des caricatures placardées aux vitrines des boutiques, aux devantures des rédactions de journaux, aux murs, aux palissades, à tous les coins de rue.

Les réfugiés connaissaient depuis 1933 toute cette propagande d'origine allemande et voyaient poindre la menace.

Un jour, ayant pris l'autobus place Wilson, je vis un jeune homme pénétrer dans la voiture pour y distribuer des tracts. La plupart des voyageurs les refusèrent. Le distributeur s'écria :

— Mais c'est gratuit !

— Même gratuitement, nous n'en voulons pas, répondit quelqu'un.

Un autre voyageur ajouta :

— Allez, ouste, en Allemagne !

Et tout le monde de rire.

Une bouffée d'air de France venait de passer.

Il existait d'autres agitateurs se livrant à la propagande dans les lieux publics : cafés, restaurants, bistros, sur le port, sur les bancs.

Et voici un incident encore qui ne manqua pas de saveur. Dans un petit restaurant de la rue de France, un individu blond, très bien mis, d'une trentaine d'années, palabrait à haute voix, s'adressant à la salle entière.

— Nous en avons soupé de tous ces étrangers, criait-il, de tous ces étrangers et surtout de tous ces juifs !

Un ouvrier, teint basané, yeux rieurs, cotte bleue, lui lança :

— Eh ! là ! le compatriote ! Tu arrives d'Allemagne ?

Paye-nous une tournée. Tu dois en avoir touché des sous pour nous placer ton boniment.

On s'esclaffa.

Le provocateur se hâta de régler sa consommation et de filer prudemment vers la sortie.

— Eh! va donc, salaud! poursuivit l'ouvrier pince-sans-rire, tu n'es qu'un vendu!

*

La douceur de la Méditerranée me paraissait immuable. Aussi quel ne fut pas mon étonnement lorsque, vers la fin de janvier, cette mer d'azur fut prise tout à coup de véritables transports de fureur.

La tempête se déchaîna dans la nuit. Des coups violents contre les volets réveillèrent tous les hôtes qui se retrouvèrent sur la terrasse. Les chocs entendus provenaient des arbres qui, secoués, venaient frapper les fenêtres. Le sol du jardin était recouvert d'une nappe blanchâtre : c'était l'écume déversée par la mer jusque sur les marches du perron. Des vagues hautes comme des maisons déferlaient sur la Promenade et venaient se briser contre les murs des hôtels et des villas.

Des galets étaient projetés dans toutes les directions; les flots abattaient les grilles, ravageaient les pelouses et les parterres de fleurs, tandis que l'orage couchait les arbres, renversant tout sur son parcours.

Pendant quarante-huit heures, la Promenade se trouva complètement submergée; personne ne s'y risquait de peur d'être blessé ou emmené par les vagues. L'eau pénétrait dans les rues transversales, inondait les jardins, les cours et les caves.

Le surlendemain seulement la mer se retira, la Promenade dévastée reparut, jonchée d'arbres, de débris de toute sorte : branches et verres cassés, bancs et chaises en pièces et partout des monceaux de cailloux.

Le soleil luisait à nouveau, faisant briller des milliards de rayons sur la terre et sur la mer.

La Méditerranée avait repris sa tranquillité nonchalante, son aspect de moire bleutée...

Elle semblait vouloir se faire pardonner son humeur des journées précédentes.

La baie des Anges riait aux anges. C'était la paix et le printemps.

Mais la paix des hommes n'était pas encore revenue...

★

J'avais passé trois mois à la pension du sieur Thérive. L'annonce de la clôture prochaine m'obligea à chercher un autre logis. Je louai, cette fois-ci, une chambre dans un hôtel situé sur la hauteur.

Le parc de l'hôtel, planté de palmiers, orné de beaux parterres en fleurs, répandait ses senteurs et ses ombrages.

Je devais y rester du début de février 1941 au 27 août 1942, date fatidique.

Un ascenseur menait, théoriquement, au cinquième. Un seul inconvénient, pourtant : il ne fonctionnait jamais. La direction expliquait qu'un rouage du moteur faisait défaut. Elle le cherchait partout, mais il demeurait introuvable. En conclusion, il fallait gravir les cinq étages à pied. Lorsque j'arrivais sur la dernière marche, j'oubliais ma fatigue, largement dédommagée que j'étais de ma peine par le panorama qui s'offrait alors à ma vue.

Le ravitaillement, déjà à cette époque, était fort laborieux. Comme je faisais moi-même ma cuisine, je prenais place, dès la première heure, dans les queues aux portes des boutiques et, les jours de marché, devant les étalages de la place Sainte-Hélène.

Les deux tranches de viande hebdomadaires, l'œuf mensuel, les fruits et les légumes provoquaient ces stationnements successifs. Munie de ma carte de ravitaillement, coiffée d'un chapeau de paille qui me protégeait du soleil, mes deux paniers aux bras, je m'insérais dans la file, parmi des ménagères, des enfants, des jeunes gens, des vieillards, des mondaines élégantes, des baigneuses qui avaient simplement passé un peignoir sur leur costume de bain pour faire des emplettes, des femmes avec deux enfants sur les bras, sans compter ceux qui pendaient à leurs jupes, parfois des enfants « empruntés » pour entrer dans la catégorie des familles nombreuses et passer les premières. Je me tenais à mon poste, un livre à la main, de sept à onze heures du matin. Ces longues stations réservaient fatigues et déceptions.

Les denrées rationnées achetées, il me fallait encore me procurer les fruits et les légumes, produits non contingentés. Les commerçants affichaient généralement devant leurs boutiques, sur ordre de la police, les quantités de marchandises arrivées, réparties en principe d'après le nombre approximatif des clients. Cette mesure, logique en soi, ne comportait pas de contrôle. En effet, il n'était fait aucune mention sur la carte de ravitaillement indiquant que le client était servi. « Ce serait trop compliqué, il faudrait tenir toute une comptabilité et installer un bureau », affirmaient les commerçants réellement surmenés.

Les resquilleurs en profitaient pour procéder aux achats avec des cartes empruntées ici et là à plusieurs familles.

Les clients qui s'en allaient les mains vides protestaient, menaçaient de « tout chambarder ». La plupart du temps, toutefois, ils en restaient là. La population était trop lasse de ces efforts quotidiens pour se livrer à une révolte.

Plus d'une fois, je rentrai bredouille, comme tant d'autres.

★

Après la défaite, la désorganisation des voies ferrées, ainsi que celle de tous les autres moyens de transport, était à son comble. Aussi le ravitaillement se trouvait-il en plein désarroi.

Au moment de la proclamation de l'armistice, les autorités, les statisticiens et la presse attestèrent que, dès que les réseaux routiers et ferroviaires recommenceraient à fonctionner normalement, la France pourrait nourrir sa population avec l'appoint de son empire colonial.

Lorsque l'emprise ennemie se fut établie méthodiquement, des difficultés imprévues surgirent qui entravèrent la réalisation de ces projets.

La confiscation, par les occupants, du matériel roulant, le partage du territoire en plusieurs zones isolées les unes des autres (les zones « interdites » étaient même inabordables), les difficultés de l'importation d'outre-mer, le blocus, l'absence de main-d'œuvre, déportée ou prisonnière, anéantirent les promesses faites à la population française.

Autre conséquence imprévue de l'occupation : les autorités allemandes faisaient des randonnées à travers le pays et, grâce à leur change très avantageux, payaient aux producteurs des prix jusqu'alors inconnus. Ces réquisitions directes eurent sur l'équilibre économique du pays des effets très graves.

Les marchandises disparaissaient comme par enchantement. Je pus en observer moi-même un exemple très frappant.

Lors de mon premier séjour en Vaucluse, on voyait partout du beurre de qualité, les fromages les plus variés, des monticules de fruits, des voitures chargées de légumes.

À mon retour de Vichy, la commission économique allemande siégeait en Avignon et rayonnait de là à travers les campagnes. On faisait queue et les prix montaient sans cesse. Les paysans et les commerçants disaient : « Ils nous achètent tout sans choix et à n'importe quel prix. En outre, nous avons l'ordre de Vichy de ne pas leur refuser la marchandise et d'accepter leur argent-papier ! Et leur police nous surveille ! »

La hausse des prix – que la guerre avait déjà déclenchée – se manifesta désormais d'une façon vertigineuse.

Les hôteliers, les restaurateurs, les maîtres de pension et les particuliers riches se mirent en rapport avec les paysans et les producteurs, leur offrant les prix de l'occupant.

Quant à la population, elle continuait à stationner

devant les magasins et les étalages du marché, mais s'adressait aussi de plus en plus souvent aux producteurs. Chacun faisait des expéditions à travers les campagnes.

Le procédé étant défendu, les gens rentraient, leur tournée faite, dissimulant dans des sacs, des paniers ou des valises les fruits et les légumes qu'ils avaient pu trouver.

Pour enrayer la hausse, les autorités tentèrent des mesures maladroites. Elles taxaient de temps à autre les produits, mais en vain, car ce n'était pas attaquer le mal à sa racine.

Ainsi, les réquisitions massives de l'ennemi, le manque de main-d'œuvre, les difficultés de transport, le blocus, les taxations officielles dérisoires, le mépris des prescriptions « légales », dictées par les occupants, eurent pour conséquence une hausse disproportionnée avec le « standard » de la vie. Toutes ces raisons combinées et complexes amenèrent le marché noir.

C'était devenu, à la longue, un mécanisme plein d'astuce, d'expédients et de tours de force.

Fabricants et artisans suivirent la hausse et s'engagèrent, de leur côté, dans le système de l'échange. Ils se faisaient payer directement en denrées et en marchandises leurs produits fabriqués.

Ce fut le troc.

Il se développait sur une échelle de plus en plus vaste et prit, sur le marché noir, une sorte de revanche.

Marché noir et troc s'implantèrent solidement.

J'ai eu entre les mains, en 1943, une brochure clandestine sur le ravitaillement en France. Il y était exposé que 80 % de la population française recourait aux procédés prohibés et que le 20 % végétait lamentablement selon le système des tickets établi officiellement.

Une anecdote circulait : « Jean vient de mourir ! – Il était donc malade ! – Pas précisément, mais le pauvre ne vivait que sur ses tickets, alors, vous comprenez ! »

La propagande allemande profita de la situation créée par la défaite, les charges de l'armistice et surtout par l'occupation qui vidait littéralement toutes les réserves du pays, pour en rendre responsables les réfugiés de race juive.

Or, vers la fin de 1942, ceux-ci, déportés dans les camps de concentration, avaient disparu de la vie économique. Mais le marché noir florissait dans toute la France.

Dans la zone occupée, d'où les juifs furent déportés dès l'invasion, à Paris tout spécialement, il était organisé en système. C'était une institution quasi officielle. Aucune mesure gouvernementale ne l'a jamais abolie.

★

L'hôtel La Roseraie aurait dû s'appeler l'Arche de Noé.

Il logeait des rescapés de nationalités et de classes sociales les plus diverses. C'était un monde fort disparate qu'unissait l'attente commune de la paix.

Ma voisine de chambre de droite était une Espagnole républicaine, réfugiée dans le Midi depuis plusieurs années. Elle partait tôt et rentrait tard. On la voyait à peine. Sa singulière pâleur, qui frappait dès la première rencontre, s'accentuait de plus en plus. Elle semblait souffrir de la nostalgie. Le jour de sa mort seulement nous apprîmes qu'elle avait succombé progressivement à l'inanition. Elle s'était étiolée silencieusement, sans plaintes, et sans avoir jamais rien sollicité de ses voisins.

À gauche vivait un couple de juifs, filateurs notoires de Mannheim. Ils attendaient leurs visas pour la Palestine, où déjà s'était établie leur fille.

En leur absence, le facteur me remettait souvent les télégrammes qui leur étaient destinés, et c'est ainsi que nous fîmes connaissance. Leur chambre était pleine de malles et de valises, toutes bouclées et étiquetées. Ils gardaient, me confièrent-ils, leurs bagages ainsi prêts depuis déjà deux ans. Un jour, ils m'annoncèrent qu'ils n'avaient plus la patience d'attendre à Nice, qu'ils partaient pour Marseille afin d'y être, espéraient-ils, plus rapidement à bord du bateau qui les emmènerait. Je reçus encore deux cartes de Marseille. Depuis, j'ignore ce qu'ils sont devenus.

Ils m'avaient laissé, en partant, tous leurs ustensiles de cuisine : trois casseroles, cinq assiettes, plusieurs tasses, des couverts. Ce don me permit d'inviter quelques colocataires.

Je nouai ainsi des relations qui devinrent à la longue de bonne camaraderie.

À mon étage vivaient, en outre, deux étudiants déracinés, en mal de protection maternelle.

L'un, M. Charles Guyot, lyonnais, petit et malingre, était spirituel jusqu'au bout des ongles. Lors de l'occupation de Lyon, il avait manifesté avec un groupe de camarades et s'était vu bientôt contraint de fuir. Il vivait à Nice sous un nom d'emprunt. Pince-sans-rire, il amusait tout l'hôtel. L'autre, Daniel Léger, protestant, était parisien, fils d'une juive roumaine convertie, dont il avait les yeux, et d'un père français, médecin à Paris. Au contact des occupants allemands et de leurs procédés de persécution, Daniel Léger était tombé dans une névrose dont Nice n'arrivait pas à le guérir. Il vivait dans l'inquiétude, se croyait poursuivi. Amis, ces deux étudiants prenaient leurs repas dans les mêmes petits restaurants, dont ils changeaient continuellement, espérant trouver mieux. En rentrant à l'hôtel, ils quémandaient gentiment chez les voisines de l'étage quelques petits suppléments « à boulotter » comme ils disaient. Ce qu'on leur accordait partout très volontiers. Reconnaissants, ils apportaient, chaque fois qu'ils le pouvaient, tantôt plusieurs kilos d'oignons, tantôt plusieurs kilos d'oranges, parfois même leur ration de vin. Leurs livraisons étaient accueillies par des acclamations : oignons et oranges étaient également appréciés. Ils apportaient aussi l'un ses boutades, l'autre son esprit de discussion autour des grands problèmes, car on se réunissait pour parler politique, examiner les événements, envisager l'avenir, mais aussi en une sorte de salon littéraire, où l'on discutait un livre, un poème, un concert. Ces heures ranimaient l'atmosphère par trop déprimante.

Je partageais la « présidence » de l'étage avec une Viennoise, Mme Elsa von Radendorf, qui occupait la plus belle chambre du cinquième. Femme de lettres, elle avait quitté l'Autriche par opposition au mouvement nazi. Elle en eut d'autant plus de mérite qu'elle avait dépassé la soixantaine, âge où les commodités d'un *home* confortable

priment généralement les considérations d'ordre doc-
trinal.

Toujours en mouvement, elle partageait son temps entre
deux occupations diamétralement opposées : elle écrivait
un ouvrage documentaire sur l'origine et le développe-
ment de l'art des dentelles et accordait, outre ses conseils
et sa protection, ses services de ménagère et d'infirmière à
la jeunesse de l'hôtel. À toute heure, on pouvait déguster
chez elle un verre de vin ou de liqueur, plaisir de plus en
plus rare.

Nous nous liâmes. Les difficultés du ravitaillement
créèrent d'abord entre nous une communauté de préoccupations : on s'entraidait, on s'indiquait mutuellement
les sources et les moyens d'approvisionnement. L'amitié
nous réunit avec le temps.

Cette dame viennoise, qui habitait l'hôtel depuis un an,
m'apprit que le quatrième étage était occupé par des émigrés polonais : un couple d'aristocrates, un acteur célèbre,
un homme de lettres non moins connu, un critique d'art
et deux hommes politiques. Ils menaient une vie à part,
aimaient la discussion et édifiaient des projets d'avenir;
quelques compatriotes élégantes et silencieuses avaient
accès dans cette oasis slave, étage de la rêverie, de la cour-
toisie, où l'on entendait le ronronnement des consonnes
de la langue polonaise.

Le troisième étage était celui des émigrants. Tous juifs
cultivés – avocats, médecins, professeurs –, ils passaient
leur temps à préparer leur émigration ultérieure. À chaque
départ, ceux qui restaient reprenaient courage et attendaient leur tour avec une nouvelle réserve de patience.

Là, logeait un septuagénaire qui avait réussi à franchir la ligne de démarcation de la façon la plus mouvementée. Il était parti en compagnie de son fils, mais au moment d'arriver en zone libre, les deux hommes se trouvèrent séparés. Lorsque le vieillard apprit que son fils avait été repris et envoyé au camp de concentration de Drancy, il tomba dans un profond abattement. Les voisins de l'hôtel s'entendirent pour le distraire à tour de rôle : les uns l'emmenaient sur la Promenade, les autres allaient chez lui pour le réconforter. Mais M. Samuel Mendelsohn sut tromper la surveillance bienveillante de son entourage et, une nuit, il se pendit à la fenêtre de sa chambre. Les scellés furent apposés sur la porte et depuis ce temps l'on passait en hâte à cet étage. La fin tragique de ce voisin était ressentie comme un exemple par trop brutal du sort qui pouvait être réservé à chacun de nous.

Par contre, le second étage était animé par la présence d'un prince hindou. Grand amateur de musique, de danse, collectionneur de disques et de livres, il remplissait l'étage de sonorité et de mystère.

Contrairement à nous tous, le prince hindou ne vivait pas d'espoir et d'avenir seulement. Il disait son existence riche et remplie, vouée à la beauté, à la nature, à l'harmonie. Avec cela courtois et affable, il rendait des services à tout le monde d'une façon désintéressée de grand seigneur.

Les autres locataires de l'étage étaient des clients de passage venus en excursion, une caste spéciale que l'on ignorait. L'étage gardait donc l'empreinte du prince exotique.

Au premier régnait la toute-puissante direction qui

exerçait sur les locataires une dictature absolue. À côté de la direction, une seule chambre, la plus belle, était louée à un personnage mystérieux. Slave certainement, très blond, yeux très bleus, d'une élégance raffinée, il avait de Narcisse non seulement l'aspect mais aussi l'âme. Une sorte de cour l'entourait, composée surtout de Russes blancs parmi lesquels l'élément féminin dominait. Il exerçait maintes activités avec l'aide de ses sujets : courtier en bijoux, expert aussi bien en immeubles, domaines, voitures, objets d'art qu'en bric-à-brac. Il organisait parfois des fêtes bruyantes qui finissaient en des scènes violentes.

Au début de 1942, un nettoyage inusité de notre étage, dit « près des nuages », annonça l'arrivée d'un nouveau locataire important. En effet, un beau matin, un aumônier vint s'installer dans une belle chambre qui donnait sur les Alpilles.

Il arriva à bicyclette avec la prestance d'un cavalier. C'était un homme de soixante ans, grand, taillé en force, affable et jovial. Il avait été aumônier au front de 1914 à 1918 et, malgré sa soutane, il conservait une allure militaire.

Sa bonté tranchait avec ses allures martiales. Il était charitable et bien qu'en toute chose il se confiât à la Providence, il avait l'habitude de dire : « Aidons-nous, Dieu nous aidera », et il aidait, en effet, sans hésiter, quiconque s'adressait à lui.

Je fis sa connaissance de la façon la plus originale : ayant glissé sur une marche, j'étais allée m'étaler en bas, sur le palier, au milieu des pommes de terre que je venais d'apporter du marché. Au bruit de cette chute, mon révérend voisin sortit précipitamment et, en Bon Samaritain, m'aida à réintégrer mes pénates, non sans avoir ramassé le contenu de mon panier. J'avais des contusions douloureuses : monsieur l'aumônier, qui n'en était pas à son premier blessé, me pansa le doigt foulé et me confia ensuite à la surveillance de ma voisine viennoise.

Pendant la semaine où je dus garder la chambre, il vint régulièrement s'enquérir de mon état. Je lui vouai une reconnaissance profonde que je manifestai à la façon de l'époque, c'est-à-dire en lui apportant des boissons chaudes au cours de la mauvaise saison.

Ainsi s'écoula l'hiver 1941-1942.

★

Durant cette période niçoise, les moments les plus redoutables étaient ceux de la révision des papiers d'identité.

Huit jours avant l'expiration de la validité du permis de séjour, les étrangers devaient se présenter à la préfecture avec leurs documents, dont une demande sur papier timbré.

Ils prenaient leur place dans la file, passage Gioffredo. Ce passage bénéficiait d'un singulier courant d'air, sorte de ventilation à l'usage des gens qui y stationnaient pendant des heures. Par les jours de pluie et de vent, c'était un réel supplice.

Finalement, on pénétrait par fournées de dix à quinze personnes pour comparaître devant une jeune fille assise à une table chargée de classeurs et de monceaux de dossiers. Elle était brune, de taille moyenne. Ses gestes étaient énergiques. Tout en elle respirait une assurance qui contrastait avec l'attitude inquiète des réfugiés.

Elle examinait les papiers, interrogeait d'un ton impératif, parlait par monosyllabes, prenait des notes rapides et ne répondait jamais aux questions anxieuses. Elle regardait le quémandeur du regard sombre d'une Parque, maîtresse du sort d'autrui. Lorsqu'elle trouvait son interlocuteur particulièrement abattu, humilié et inquiet (il y avait parmi eux des vieillards, des malades et tous, d'ailleurs, même les jeunes, étaient plus ou moins désemparés), un sourire ironique se répandait sur son visage.

Les réfugiés l'appelaient « la nazie » et ils la craignaient. Elle n'ignorait pas son pouvoir sur ces milliers d'épaves, et sa face gardait une expression hautaine.

Elle consultait les dossiers et décidait avec autorité. Elle prolongeait les permis de séjour d'un mois ou de trois, convoquait à plusieurs reprises, exigeait un document supplémentaire, une recommandation d'un Français, un certificat médical. Entre-temps, elle conservait les papiers et l'on restait plein d'appréhension avec, en main, une sorte de reçu.

Il arrivait fréquemment que les pièces périmées fussent déclarées sans validité et confisquées. Impossible alors de les renouveler puisque les communications avec les pays occupés par les Allemands étaient interrompues et les consulats supprimés ou sans autorité aucune.

Fou d'inquiétude, l'intéressé assiégeait le commissariat pour demander conseil, indications et appui, et il finissait par établir de nouvelles demandes sur papier timbré, demandes qui étaient plutôt des suppliques. Il y exposait sa détresse, sa situation sans issue, rappelant qu'il avait des moyens d'existence, qu'il était gravement malade, infirme, que sais-je encore !

Dans ces positions difficiles, les uns faisaient appel à des hommes d'affaires, à des conseillers d'occasion, les uns et les autres fort souvent véreux.

D'autres s'adressaient aux médecins, consultaient des spécialistes, allaient voir des chirurgiens.

Une dame de notre hôtel me dit un jour, radieuse :

— Moi, je n'ai rien à craindre. J'aurai mon permis de séjour : je dois subir une opération !

Si les réfugiés n'arrivaient pas à se tirer de ces complications, ils se trouvaient placés dans une situation irrégulière et exposés au danger de mesures policières.

Je subissais ces tribulations comme tous les autres. Le permis de séjour « jusqu'à la fin des hostilités », qui m'avait été accordé en 1939, fut annulé après l'armistice : la présidence du Conseil n'existait plus et les recommandations délivrées par ses services n'avaient plus de valeur au dire des nouvelles autorités.

Ces démarches pénibles, éreintantes, avaient souvent leur côté comique.

Ainsi, à chaque demande de prolongation d'un permis de séjour, il fallait prouver que l'on avait des moyens d'existence suffisants : compte en banque, subvention de l'étranger, argent liquide. Dans ce dernier cas, l'intéressé devait apporter son capital pour le présenter au fonctionnaire préposé au contrôle. Il arrivait fort souvent que la somme dont l'un ou l'autre disposait n'atteignait pas le minimum prescrit. Alors il empruntait à des amis, à des connaissances et à des voisins pour faire la démonstration d'usage. En sortant, il la rendait au créancier qui stationnait parfois dans les parages. Les fonctionnaires n'étaient pas toujours dupes. Un jour, l'un d'eux, pince-sans-rire, dit tout bas au réfugié dont il était en train de compter les billets :

— Votre banquier vous attend-il à la sortie de la préfecture ou au café du coin ?

Ceci fut dit avec une parfaite bienveillance, car le fonctionnaire ne prenait pas cette prescription au sérieux. Le réfugié en fut quitte pour la peur.

La question des papiers finissait par être réglée d'une façon ou d'une autre et l'on pouvait respirer... jusqu'à l'échéance suivante.

Dans ces intervalles, chacun menait une vie riche en préoccupations et en souffrances que n'éclairaient ni travail ni bonheur.

Le fond de cette existence était l'attente, canevas où un espoir toujours plus mince et une pensée de plus en plus morose brodaient ensemble des arabesques nostalgiques.

Sur ces couleurs sombres se détachaient parfois en nuances plus claires, telle joie passagère, telle émotion plus douce : une lettre de parents ou d'amis, des nouvelles parvenues de Suisse, de Suède, d'Amérique, pays miraculeux où il n'y avait pas de guerre.

*

En mars 1942, le gouvernement de Vichy décréta le recensement général.

Des affiches spéciales enjoignaient à la population de race juive de stipuler cette origine dans ses déclarations et cela sous peine de réclusion.

La signification de cet appel était claire puisqu'en

Allemagne le même recensement avait ouvert l'ère des persécutions.

Personne n'ignorait, d'ailleurs, qu'il s'agissait d'une mesure imposée à l'État français par les autorités allemandes. Les conséquences à prévoir étaient évidentes.

On était indécis sur l'attitude à adopter. Les uns disaient : « L'omission volontaire de la déclaration de notre race serait évidemment poursuivie, mais il subsiste toujours la chance qu'elle passe inaperçue. Alors c'est le salut. Par contre, une déclaration nous exposerait avec certitude à toutes les persécutions. »

Les autres répondaient : « Nous sommes en France, dans un pays qui nous a accordé l'hospitalité et la protection. Nous avons envers lui un devoir de loyauté et nous *devons* répondre à ses exigences. Les autorités françaises *n'admettront pas d'exactions contre nous. Nous avons confiance.* »

C'est dans cette atmosphère de perplexité et d'hésitation que se préparait le fameux recensement. Puis le dernier jour de la remise des questionnaires arriva. Il fallait se décider et agir. La majorité fit une déclaration conforme à la vérité. J'étais du nombre.

Le recensement terminé, chacun dut remettre à la préfecture ses papiers d'identité. Huit jours après, ces documents nous furent rendus, munis de l'indication prévue. Le service du ravitaillement convoqua à son tour les intéressés pour inscrire la mention de race. Tout le monde était classé, marqué, au dire de la police, « en ordre parfait ». La danse macabre pouvait commencer.

Dès le début de juillet, des déportations d'étrangers de

race juive étaient effectuées à Paris; le 15 juillet à Lyon. On sentait le danger imminent dans toute la France, mais personne ne savait au juste ce qu'il convenait d'entreprendre.

Des fuyards arrivaient en masse, de partout, éplorés, apportant des nouvelles terribles.

Les réfugiés résidant dans les Alpes-Maritimes assiégeaient littéralement les consulats : américain, espagnol, suisse, suédois... Ils faisaient queue pour tenter cette démarche désespérée; mais la plupart des services de visas ne fonctionnaient plus.

Nous nous sentions emprisonnés, bloqués.

Ceux qui avaient sauvé quelques biens de leurs précédents exodes s'efforçaient de les caser chez des Français. Les plus prévoyants cherchaient des refuges. Tout le monde attendait anxieux, à la merci d'événements inéluctables.

J'avais écrit à mes amis suisses que « mon état de santé s'était aggravé », ce qui, selon nos conventions épistolaires, signifiait que j'étais en danger. Mes amis répondirent que je pouvais compter sur un visa d'entrée dans leur pays.

Forte de cette promesse, je me rendis à la préfecture. Je montrai le message reçu de Suisse en y joignant la recommandation de 1939 et je demandai un visa de sortie.

Le fonctionnaire, un jeune homme de vingt ans, après avoir examiné ces deux papiers, me dit poliment, sur un ton de renseignement :

— Vous avez là, madame, une recommandation d'un gouvernement d'avant guerre qui s'est révélé indigne.

Ce gouvernement est aboli. Nous avons maintenant une France nouvelle. Les maîtres que vous avez servis ont disparu.

Ce raisonnement ne m'était pas inconnu. Ne l'avais-je pas entendu déjà à plus d'une reprise! Cependant, cette fois-ci, je protestai en me récriant :

— Sachez, monsieur, que les maîtres que j'ai servis pendant plus de vingt ans s'appellent Boileau, Molière, Corneille, Racine, Voltaire et bien d'autres immortels de votre pays!

Mes paroles parurent éveiller, sembla-t-il, quelques souvenirs scolaires chez mon interlocuteur.

— Soit, dit-il après quelques instants d'un ton conciliant, je vais tenter une demande pour vous. Votre passeport, s'il vous plaît!

Il plaça une feuille rose dans sa machine à écrire, épela mon nom, puis le tapa.

— Vous n'êtes pas de race juive, j'espère? se ravisa-t-il subitement. Montrez-moi votre permis de séjour.

Il y jeta un coup d'œil.

— Inutile de faire la demande! Nous avons l'ordre strict de ne plus laisser sortir de France les étrangers de race juive. Ce règlement sera prochainement appliqué même aux Français. Vous comprenez, les Allemands sont les maîtres, ajouta-t-il à voix basse, comme un aveu.

Il avait l'air de s'excuser et son attitude me toucha.

Je sortis de la préfecture. Je marchais à pas précipités. Au coin de l'avenue Gambetta, je me rendis compte que je tenais toujours en main mon passeport et ma recommandation.

Je m'assis sur un banc, replaçai machinalement les documents dans leur enveloppe et restai là, anéantie.

★

Le 26 août 1942, j'allai comme d'habitude faire mes provisions. Malgré l'heure matinale, il faisait déjà très chaud. Je fus étonnée de rencontrer si peu de monde au marché.

Après mes emplettes, je rentrai tranquillement à l'hôtel. En tournant l'angle de la ruelle qui aboutissait chez moi, j'avais coutume de jeter un regard vers le cinquième étage pour faire un signe amical à ma voisine viennoise. Ce matin-là, elle n'y était pas, mais par contre j'aperçus à un balcon du troisième un compatriote, M. Sigismond; il faisait des deux bras des signaux singuliers. Je l'observai d'abord amusée, pensant qu'il devait s'agir d'une plaisanterie. Mais bientôt je constatai avec étonnement que cette gesticulation m'était adressée!

M'arrêtant, j'essayai d'en deviner le sens. Je vis qu'il me montrait la petite ruelle faisant face à l'hôtel. Sans chercher à comprendre davantage, je pris la direction indiquée.

Arrivée à l'avenue, je tombai sur un attroupement. Plusieurs autocars stationnaient, entourés de nombreux policiers. Puis arrivèrent des gendarmes poussant devant eux, ou tenant par le bras, des hommes, des femmes et des enfants.

— Que se passe-t-il? demandai-je à un camionneur.

— On ramasse les juifs, répondirent plusieurs voix à la fois.

— Voilà qu'on fait la chasse à l'homme maintenant, remarqua un ouvrier d'un ton réprobateur.

Une foule s'amassait autour des autocars.

Traversant l'avenue, je me dirigeai machinalement vers la mer. Je m'assis sur un banc, déposant mes paniers à mes pieds.

Devant moi s'étendait la Méditerranée; derrière, il n'y avait plus d'issue. Je demeurai là longtemps, essayant de rassembler mes idées.

La route côtière était déserte. Au bout d'un moment, un groupe d'agents cyclistes arriva dans ma direction. J'attendis qu'ils fussent passés et je revins ensuite vers l'avenue.

Les autocars y stationnaient encore et l'on y amenait toujours des gens par groupes de deux, de trois, de quatre et de cinq. Ils portaient des valises ou simplement des paquets. Les gendarmes les poussaient dans les voitures. Deux autocars bondés démarrèrent. Deux autres, vides, les remplacèrent aussitôt.

Une seconde, la tentation me vint de courir vers ce rassemblement et de crier : « Emmenez-moi, je suis des leurs ! »

Un sentiment de joie intense m'envahit à cette pensée de solidarité et d'immolation. Mais la logique froide prit le dessus.

À qui ce sacrifice servirait-il? Que pourrait-il changer? À quoi bon?

L'instinct de conservation m'avait subjuguée.

L'amertume de cette vérité me pèse aujourd'hui et me pèsera jusqu'à la fin de mes jours.

Je ne sais combien de temps je restai là, comme para-
lysée.

Quelqu'un passa en courant, me bouscula.

Le danger m'apparut dans un saisissement...

★

J'inspectai l'avenue, les ruelles, les maisons, les boutiques, les villas, cherchant instinctivement un abri.

Mon regard s'arrêta sur une devanture :

MARIUS — SALON DE COIFFURE

J'avais fait la connaissance de Mme Marius en stationnant
dans les queues. Un jour, à l'occasion d'une distribution
d'alcool à brûler, elle m'avait offert de me rendre chez elle
pour profiter du gaz chaque fois que cela me conviendrait.
Nos relations se nouèrent autour des si importantes questions de ravitaillement. J'avais, de mon côté, « introduit »
Mme Marius dans une ferme où l'on pouvait se procurer
fruits et légumes. Une entente cordiale régnait entre nous.
J'allais volontiers faire un brin de causette avec ce couple
d'une trentaine d'années, aimable et sympathique.

Mme Marius, aux yeux de braise, aux lourdes nattes
de cheveux noirs, était corse. M. Marius, quoique méridional, avait des yeux bleus et les cheveux châtains. Il
était de caractère rieur et d'humeur égale.

Avec ce couple, aussi serviable que gai, rien d'étonnant
que le « salon » ne désemplît pas. Dans l'inconcevable
encombrement du lieu, les clients, pour la plupart des

Méridionaux au tempérament vif, restaient là, confinés et à l'étroit, à attendre leur tour sans bougonner et même fort contents.

La boutique était bourdonnante; les boutades et les calembours jaillissaient; chacun racontait, à qui mieux mieux, faits du jour, nouvelles et pronostics.

Me trouvant seule, en pleine rue et en danger, je me dirigeai, comme poussée par une main invisible, chez les Marius.

Le patron se tenait sur le seuil, il devait m'avoir vue, car il me dit simplement :

— Bonjour, madame, c'est bien d'être venue chez nous. Entrez!

Et, me précédant, il appela :

— Francine, viens voir qui nous apporte ce matin des provisions.

Il échangea avec sa femme un regard rapide qui était comme un accord tacite.

La patronne me souhaita le bonjour, m'offrit une chaise, alla chercher à mon intention la cafetière, me versa une tasse de café et un verre de cognac, sans oublier de mettre sur la table le sucrier, à cette époque marque spéciale d'hospitalité et de bienveillance.

— Buvez, me dit-elle, le café est chaud et le cognac vous fera du bien.

Puis elle disparut dans la cuisine.

Ayant bu, j'allai lui porter les deux paniers.

— C'est lourd! sourit-elle, cela fera bon effet dans notre fricot.

Comme des voisins passaient à ce moment dans la cour,

devant la porte vitrée, elle me fit signe de regagner la chambre à coucher où j'allai de nouveau me blottir.

La moustiquaire rose au-dessus du lit conjugal, la commode ancienne chargée de serviettes, le buffet plein de vaisselle et de tasses multicolores, les murs décorés de photographies de famille et de cartes postales, tout cela créait une atmosphère calme et accueillante. Par la porte entrouverte, j'entendais des voix venant du « salon ». On y parlait des événements du jour, de la grande rafle; mais je n'arrivais pas à discerner les détails.

À midi, la patronne mit le couvert pour trois. Le patron vint nous rejoindre et, s'asseyant à table, il déclara :

— Je me suis renseigné auprès d'un fonctionnaire de ma connaissance. On continuera de ramasser le pauvre monde pendant plusieurs jours, ensuite il y aura un arrêt. Il s'agit de tenir bon quelque temps. Et nous tiendrons! Ah! les salauds! On leur revaudra ça un jour.

Et tout en me versant une pleine louche de soupe :

— Il faut conserver des forces, madame. Mangez! Les temps sont durs, mais tout passe. À la vôtre.

Le vin mettait de l'allégresse dans les veines du patron. Il l'aidait à supporter toutes les contrariétés et tous les soucis de l'existence.

Le repas s'acheva en silence. La dernière rasade bue, mon hôte conclut :

— Ici, vous êtes chez vous, c'est-à-dire chez de bons Français. Rien ne vous arrivera aussi longtemps que nous serons les maîtres ici. Pour l'avenir et la revanche, vous pouvez y compter, foi de Marius!

Puis le ménage retourna à ses occupations. Je me rassis

dans mon coin au fond de la chambre. La patronne faisait de fréquentes apparitions pour échanger quelques mots avec moi.

À quatre heures, elle m'apporta un bol de café au lait. Un peu plus tard, des amis, prévenus par la patronne, vinrent me voir. La dame viennoise me recommanda de ne sortir sous aucun prétexte et promit de m'apporter le lendemain quelques vêtements et quelques objets de toilette.

M. Sigismond me raconta qu'à huit heures du matin la police avait surgi dans l'hôtel et arrêté deux couples d'Israélites ; les autres, sans doute alertés, n'étaient pas là. Les policiers avaient laissé la liste des locataires de race juive et donné l'ordre à la direction de leur interdire l'entrée des chambres et de les diriger immédiatement vers le commissariat du quartier. Mon nom figurait sur cette liste. Au moment où je revenais du marché, trois gendarmes se trouvaient précisément sur le seuil de l'hôtel et sans l'avertissement de mon voisin, je serais infailliblement tombée entre leurs mains.

Un plan d'action fut discuté et il fut décidé que je resterais pour le moment cachée chez M. et Mme Marius.

Après la fermeture du « salon », le patron commença par disposer un matelas sur le plancher, tandis que Mme Marius, sortant de la commode des draps blancs, en recouvrit son lit. Le patron s'apprêta à se coucher par terre. Je dus insister et même menacer de partir pour que les Marius veuillent conserver l'usage de leur lit.

Le patron dit finalement à sa femme :

— Puisque c'est sa volonté, allons-y, Francine.

Alors les draps blancs passèrent du lit au matelas et celui-ci devint ma couche.

Dans la nuit, j'écoutai longtemps les bruits du dehors.

Des pas précipités, des cris étouffés, des sifflements, des appels... et de nouveau le murmure de la mer.

Je me tournais et me retournais sans trouver le sommeil.

— Dormez, ma pauvre dame, vous avez bien besoin de repos, me dit doucement la patronne, qui avait surpris mon inquiétude.

J'enfonçai le visage dans l'oreiller pour y cacher mes larmes. Je pleurais de désespoir, mais en même temps de reconnaissance envers ces êtres infiniment bons qui m'avaient recueillie et sauvée.

La conscience de me trouver chez eux à l'abri me rasséréna.

Épuisée, je finis par m'assoupir.

★

Les patrons se levaient reposés et prêts au travail, qui remplissait pour eux toute leur vie.

M. Marius était un idéaliste qui rêvait de paix et de fraternité universelles. Il se plaisait à de longues causeries autour de problèmes humanitaires. Le mari et la femme se montraient sensibles à la misère et aux peines d'autrui, toujours d'accord et prêts à porter secours à tous les affligés.

Je fus entourée des soins les plus prévenants.

Pour me distraire, M. Marius engageait avec moi, le soir, une partie de cartes que je perdais régulièrement.

J'admirais sincèrement son habileté, ce qui lui faisait grand plaisir. Quant à Mme Marius, elle était fière de son époux.

Ces soirées étaient réellement agréables et elles m'aidaient à supporter et même à oublier, par moments, ma situation tragique et dangereuse.

Elsa von Radendorf revenait souvent. Elle apportait de fort mauvaises nouvelles.

La police opérait des rafles pendant la nuit. Des battues étaient organisées dans les jardins, les parcs, les squares, au bord de la mer, dans les bois environnants. Supposant que la plupart des fugitifs, après s'être cachés au-dehors, réintégreraient progressivement leur domicile, les agents faisaient irruption dans quantité de chambres, arrachaient du lit les locataires et les emmenaient. Aussi était-il impossible d'entrer dans ma chambre d'hôtel pour en retirer quoi que ce fût. Elsa von Radendorf m'apporta, par contre, quelques objets achetés en hâte, brosse à dents, savon, mouchoirs, bas, et elle me prêta son peignoir. Elle se chargea également de mettre à la poste une lettre par laquelle, sous un nom d'emprunt, j'avisais mes amis de Suisse « que j'étais au plus mal ».

Pendant huit jours consécutifs, les rafles sévirent dans toutes les Alpes-Maritimes. Le nombre des gens arrêtés était considérable; on les voyait entre des policiers marcher menottes aux poignets. Agents, gendarmes et gardes mobiles les enfermaient dans les commissariats, les casernes et les halles du marché de la place Masséna. Tous ces locaux étaient transformés hâtivement en prisons provisoires.

Au début d'octobre, la population dut renouveler ses cartes de ravitaillement. La police était présente aux bureaux respectifs pour mettre la main sur ceux qui, ayant échappé aux rafles, viendraient chercher les tickets indispensables.

Mais peu se présentèrent. Ce fut, en revanche, l'occasion d'arrêter des Français qui venaient, par pitié, retirer les tickets de ceux qui se cachaient.

*

Peu après, une nouvelle mesure fut promulguée : les enfants juifs devaient être enlevés à leurs parents. On les jetait dans des camions, on déchirait leurs papiers sur place. Les autorités les marquaient d'un numéro matricule.

Cette mesure ne s'exécuta pas sans scènes tragiques. Des mères se coupaient les veines, d'autres se jetaient sous les autocars au moment où ils démarraient, emportant leur chargement tragique. Dans un hôtel de la Côte d'Azur, une femme, qui avait échappé aux rafles, se jeta par la fenêtre avec son petit. Elle fut relevée avec une fracture des jambes. L'enfant était mort, écrasé dans la chute.

Agents et gendarmes faisaient la chasse avec une adresse et une activité infatigables. Ils exécutaient les ordonnances de Vichy fermement, inexorablement. Chez ces hommes asservis, la colère amassée par suite de la défaite était violente et ils paraissaient vouloir la dépenser contre de plus malheureux et de plus faibles qu'eux. Ces représentants de l'autorité n'avaient rien d'héroïque, ni dans leur tâche ni dans leur attitude.

Un fond de sadisme doit être caché en tout homme pour se dévoiler lorsqu'une occasion s'en présente. Il

suffisait qu'on ait donné à ces garçons, somme toute paisibles, le pouvoir abominable de chasser et de traquer des
êtres humains sans défense pour qu'ils remplissent cette
tâche avec une âpreté singulière et farouche qui ressem-
blait à de la joie.

Était-ce sur ordre ou par un sentiment de honte? On
les entendait prétendre que ces procédés étaient utiles et
nécessaires, puisqu'ils étaient l'une des conditions de la
collaboration avec les Allemands et que dans cette collaboration résidait le salut de la France.

Les décisions définitives, concernant les réfugiés de race
juive arrêtés, ne se firent pas attendre longtemps. Pendant
huit jours, des amis purent aller les voir et leur porter
quelques objets de première nécessité, un peu de réconfort. Mais un jour, sans avertissement, on les achemina
vers des camps de concentration français, d'où ils furent
transportés, par catégories, dans les camps de Pologne, de
Tchécoslovaquie et d'Allemagne.

*

Ce n'est pas sans scrupules que je restais cachée chez
les Marius; mais chaque fois que je parlais de changer de
refuge, mes hôtes protestaient; ils considéraient de leur
devoir de racheter, disaient-ils, les injustices dont se rendaient complices leurs compatriotes aveugles ou forcés
par les autorités de l'heure.

La chambre à coucher du couple était attenante au
salon de coiffure. Certains clients avaient l'habitude d'y
pénétrer pour échanger quelques propos avec la patronne

ou pour lui souhaiter le bonjour. Ainsi, quelques-uns d'entre eux m'avaient vue et bientôt le bruit courut que les Marius cachaient quelqu'un chez eux.

Il avait été convenu que lorsque M. Marius appellerait sa femme à voix très haute, j'aurais à me cacher au fond d'un placard.

Le cas se produisit un jour vers midi et, de ma cachette gagnée en hâte, j'entendis M. Marius dire :

— Entrez, brigadier, nous n'avons que la chambre et la cuisine. L'inspection sera vite faite.

Puis, s'adressant à sa femme :

— Donne donc au brigadier un verre de fine. Qu'il nous dise si elle est à son goût.

Le brigadier but son verre de fine et s'excusant :

— Vous savez, on nous ferait tourner en bourrique. Nous recevons toute la journée des indications et des dénonciations! Sale métier que le nôtre, maintenant! Courir après des gens qui n'ont commis aucun crime, c'est à vous dégoûter! Mais allez donc dire votre opinion. Nous serions pris sur-le-champ. Il nous faut bien nourrir notre famille. Sans rancune, patron!

Le brigadier, après avoir pris congé de son hôte, disparut.

— Voyez-vous, me dit M. Marius lorsque je fus sortie de mon placard, il y a encore parmi ces bougres de cochons de policiers quelques types convenables.

C'est ainsi que j'appris par hasard (ce que l'on me cachait soigneusement) que les logements de Français suspectés d'accorder asile aux juifs traqués étaient soumis à des perquisitions. La police survenait de jour et de nuit, s'introduisait au besoin par la force, arrêtait les réfugiés qu'elle y trouvait et emmenait avec eux leurs hôtes français.

Les affiches donnaient connaissance des peines d'amende et d'emprisonnement qui seraient appliquées aux Français charitables.

J'avais prié des amis de s'enquérir d'un refuge pour moi dans les environs de Nice. Ayant mesuré quel danger mon séjour signifiait pour les Marius, je n'avais plus de tranquillité. Je fus fort aise d'apprendre un matin qu'une dame française de bonne famille s'était déclarée disposée à m'accorder un gîte dans un château situé sur la montagne, à une vingtaine de kilomètres de Villefranche.

Mes hôtes protestèrent. Cependant, devant ma ferme décision, appuyée par mon amie viennoise, M. Marius acquiesça à mon départ, mais à condition qu'il verrait préalablement ma nouvelle hôtesse. Il fut décidé que la châtelaine viendrait elle-même me chercher chez les Marius le dimanche suivant.

Abritée comme dans une retraite chaude et douce, entourée d'une bienveillante protection, j'attendais, non sans inquiétude, la seconde étape de mon aventure extraordinaire, quasi moyenâgeuse.

Pendant les deux derniers jours que je passai chez mes amis, ceux-ci se surpassèrent pour me gâter. Mme Marius partit en expédition chez des cultivateurs et rapporta quelques œufs, introuvables à Nice, et même des citrons. S'attaquant à sa réserve de farine blanche, mon hôtesse confectionna une belle tarte en mon honneur.

Mme Elsa von Radendorf arriva triomphante à son

tour; elle était parvenue à pénétrer dans ma chambre
d'hôtel, d'où elle avait emporté une robe, des souliers, un
manteau, un peu de linge de rechange.

Mon voisin d'étage, l'étudiant lyonnais, M. Charles
Guyot, me recommanda de chercher conseil auprès de
l'officier de paix que nous connaissions personnellement.
Originaire d'Alsace, ce dernier détestait l'occupant. Il
venait voir M. Guyot; je l'avais rencontré plusieurs fois,
et il m'avait assurée que je pouvais compter sur son
appui en cas de complications. Ne sachant trop comment
entreprendre mon déplacement avec un permis de séjour
périmé et muni du stigmate dangereux, je me décidai
donc à suivre le conseil de mon jeune voisin. J'écrivis
un mot au policier. Je me rappelais à son souvenir en lui
exposant mes difficultés.

Un ami de M. Marius fut chargé de porter la missive.
Avec une impatience fébrile j'attendais le résultat de cette
démarche. Le patron se rendait à tout instant sur le pas de
la porte pour voir si le messager ne revenait pas. Celui-ci
ne rentra que dans l'après-midi et en grande colère. Il
nous raconta qu'ayant dûment remis la lettre au desti-
nataire, il s'était vu, dès l'abord, interpellé sans aménité.
L'officier de paix avait commencé par lui demander ses
papiers d'identité, après quoi il lui avait dit :

— Comment! vous, un ancien combattant de 14, vous
vous compromettez dans des entreprises illégales et
contraires aux décisions de notre gouvernement?

Et il avait conclu par ce conseil :

— Surtout, ne recommencez pas!

Je ne voulais pas d'abord en croire mes oreilles, mais la

description que me fit le messager de l'homme qui l'avait interrogé correspondait en tout point au signalement de notre soi-disant bon camarade et, finalement, je m'estimai heureuse de me tirer à si bon compte de cette démarche inopportune.

VII

QUELQUE PART DANS LA MONTAGNE

Le dimanche suivant arriva et avec lui notre châtelaine, qui devait m'emmener à sa résidence, près de Villefranche. C'était une femme d'une quarantaine d'années, allures masculines, regard froid. Elle nous raconta qu'elle avait fille et garçon. La propriété, fortement hypothéquée, appartenait à des amis résidant à Paris; ils lui en avaient laissé l'usufruit pendant vingt-cinq ans, à charge pour elle d'assumer les dépenses d'entretien et d'impôts.

Elle nous fit part de ses opinions politiques, de sa colère contre les Allemands et manifesta sa satisfaction de pouvoir venir en aide à « une persécutée ». Elle affirmait que loin d'être une personne intéressée, elle comptait pourtant tirer quelque avantage de cet hébergement, car les temps étaient durs. Nous lui exposâmes la situation et nous fixâmes un prix de loyer qui correspondait à celui d'un hôtel de luxe de la Promenade des Anglais. Quant aux vivres, mes amis devaient me les procurer. Participant aux négociations, M. Marius, qui n'avait pas l'air ravi de la châtelaine, souscrivit cependant à ces conditions. Il ajouta même la promesse de deux paquets de cigarettes par semaine, la châtelaine ayant démontré, au cours de la conversation, qu'elle était une fervente fumeuse. C'était là un cadeau de choix. Le tabac était fortement rationné et seuls les hommes en bénéficiaient.

Nous tombâmes ainsi d'accord sur tous les points.

Je procédai alors à mon déguisement : une large jupe, des pantoufles en drap, un tablier et, sur la tête, un fichu de paysanne qui me descendait jusqu'aux épaules. J'emportais au bras un panier contenant quelques provisions. Mes objets de toilette furent remis à la châtelaine pour écarter les soupçons.

Nous partîmes vers six heures du soir. Ayant pris congé, très émue, de M. et Mme Marius, je suivis mon guide.

Nous montâmes dans un tram. Il nous conduisit place Masséna. Là, nous devions attendre trois quarts d'heure avant de prendre l'autocar qui desservait les alentours de Villefranche. La châtelaine employa ce temps à faire une visite dans les parages, me laissant seule à la station.

Beaucoup d'agents et de gendarmes circulaient, à pied et à bicyclette. Subitement, devant moi, passa un jeune homme courant à toutes jambes, serré de près par deux agents. Ils l'appréhendèrent et lui passèrent les menottes. Je le vis marcher entre les policiers, le dos courbé, la tête penchée, le pas vacillant. Il disparut au coin d'une rue...

Lorsque la châtelaine revint, je me sentis toute surprise d'être encore là : en pensée, j'étais partie aux côtés du jeune juif qui venait de subir son sort.

L'autocar grimpait sans hâte les collines. Tandis que mon hôtesse, très communicative, me mettait au courant de l'existence au château et me parlait du voisinage, je suivais du regard le magnifique panorama des Alpilles que je n'avais pas encore contemplé de ce côté-là : champs, bois, petits villages comme accrochés au flanc des coteaux verdoyants.

La châtelaine s'exprimait maintenant amèrement à l'égard de ses voisins, se plaignant de leur égoïsme.

— Le pays est peuplé, disait-elle, de beaucoup d'ouvriers. Je suis entourée de malveillance, car la majorité des habitants est communiste. Quant à la police locale, même tendance.

Tout en l'écoutant, une certaine inquiétude m'envahissait : mon hôtesse me paraissait être en désaccord avec l'univers entier.

Nous descendîmes place de la Mairie, juste en face de la gendarmerie. Sur les murs de ce bâtiment, on pouvait lire les affiches, un peu défraîchies, relatives au recensement et celles, plus récentes, interdisant l'hébergement des juifs. Pour arriver au château, il fallait monter à pied environ quatre kilomètres. Mon hôtesse me recommanda de parcourir doucement, toute seule, ce trajet et de l'attendre au carrefour, pour éviter qu'on nous vît ensemble.

Le chemin des piétons était taillé à même le roc et il fallait gravir des marches nombreuses. Tout le long de cette montée étaient bâties un peu au hasard des maisonnettes et des cabanes. Des villas se dressaient çà et là ; plus loin, des petits mas, entourés d'oliviers et de palmiers.

J'avançais lentement, m'arrêtant pour admirer le panorama.

Enfin j'arrivai au carrefour indiqué, au milieu duquel se dressait une fontaine. À la châtelaine, qui bientôt

me rejoignit, je dis que, chemin faisant, j'avais été vue
par de bonnes gens qui, du seuil de leurs maisonnettes,
m'avaient souhaité aimablement le bonsoir. Elle me rassura : les visites étaient fréquentes dans le pays et chez
elle-même il ne se passait aucun dimanche qu'elle ne
reçût du monde de Nice.

Le château se trouvait sur une belle pelouse qui faisait
une trouée profonde dans les arbres. L'édifice avait visiblement besoin de restauration, mais son dessin était très
noble.

Une jeune fille blonde de vingt ans, avenante et douce,
et un garçon qui pouvait avoir seize ans me furent pré-
sentés.

Je reçus pour logis une chambre décorée de deux beaux
Gobelins. Quatre grands balcons ouvraient sur les Alpes.
Mais dès que la nuit tombait, des ombres si épaisses enve-
loppaient le château qu'anxieuse je me hâtais de clore les
volets et d'allumer les lampes.

Dès le lendemain, avec un tablier de la châtelaine,
des sabots et un chapeau de paille, j'allai dans le verger
cueillir des légumes. Je ramassais de gros cailloux dans
un terrain que la châtelaine se proposait de cultiver. Je
les transportais ensuite dans un panier jusqu'à l'emplacement désigné.

Cependant, mon hôtesse et sa fille bêchaient. Après
les heures de grande chaleur nous arrosions, transportant
l'eau d'un réservoir. Muni de gants spéciaux, le jeune
garçon échenillait les arbres et jetait les insectes, par centaines, dans un brasier. Il m'appela pour me montrer les
contorsions des chenilles dans les flammes.

Plusieurs journées s'écoulèrent, silencieuses et calmes. Je me croyais au bout du monde et à l'abri pour toujours. Mais un samedi, rentrant du village où il avait été chercher le pain, le jeune garçon raconta qu'il avait croisé l'un des trois gendarmes de la localité et que celui-ci, à voix basse, lui avait dit de passer à la gendarmerie. Il s'y était rendu une demi-heure plus tard. Là, on lui confia qu'un bruit courait dans le village : une étrangère vivait au château. Celle-ci n'avait pas encore fait sa déclaration à la police. Et le fonctionnaire avait conclu :

— Nous viendrons, mon camarade et moi, faire une inspection lundi matin. Il faut que la personne en question soit alors déjà partie.

Perdant littéralement la tête en entendant le rapport de son fils, la châtelaine fut d'avis que je parte immédiatement. Je lui demandai au moins un délai de vingt-quatre heures, le temps nécessaire pour aviser mes amis de Nice afin qu'ils me procurent un autre refuge. Ne risquais-je pas, en descendant vers la ville, d'être arrêtée et déportée ?

Je priai le fils de la châtelaine de porter deux lettres, l'une aux Marius et l'autre à ma voisine de l'hôtel.

Il se mit en route et revint vers le soir, m'annonçant que M. Marius allait faire le nécessaire et monterait aussitôt au château.

Après le dîner, la châtelaine vint me rejoindre dans ma chambre. Elle avait eu, me dit-elle, une conversation avec son fils, « le seul homme de la maison ». Elle ne s'était pas rendu compte du danger auquel elle s'exposait en m'hébergeant. Connaissant les sentiments de la police à son égard, elle pouvait s'attendre à de graves complications !

Le gendarme lui avait envoyé spontanément un avertissement, la rassurai-je. Mais elle ne voyait là qu'un piège de la part de la police. Il fut décidé que je m'installerais dans la forêt attenante au château, où elle me promettait d'organiser un abri sûr. Chargées de couvertures et d'un coussin, nous nous y rendîmes. Arrivées devant un petit ravin, la châtelaine arracha des fougères qu'elle y disposa de façon à me cacher.

Je restai seule.

J'avais emporté un livre et j'essayai de lire. Mais je ne pouvais fixer ma pensée. Un silence ouaté m'entourait, coupé des derniers chants d'oiseaux et du bourdonnement des insectes. J'écoutais et je regardais la nuit descendre sur la forêt; les derniers rayons du soleil doraient les cimes des arbres; des bruits de voix arrivaient des habitations lointaines; le chant des oiseaux s'éteignait progressivement.

La nuit vint et m'enveloppa comme d'un linceul. Le silence était troublé par des bruits légers, à peine perceptibles : des feuilles, des brindilles, des pommes de pin tombaient des arbres. Un oiseau, de son aile, frôlait une branche, un insecte grimpait au tronc d'un arbre et retombait sur le sol. Le vent paraissait chuchoter dans le feuillage. Tous ces bruits prenaient pour moi une signification inquiétante. L'aboiement d'un chien dans une ferme inconnue me semblait presque une voix amie.

Subitement, le froid m'assaillit et je me recouvris frileusement de mon manteau et de mes couvertures. J'essayais de dormir, mais en vain. Je cherchais une pensée réconfortante. Mais laquelle? Ma mère adorée était bien loin;

depuis deux ans j'étais sans nouvelles d'elle et de tous les miens; le monde entier était ensanglanté par la guerre. Partout, deuil et désespoir. Je pensais aux Marius, à mes amis suisses, à ma sœur déjà hors de danger. Leur souvenir me rasséréna.

Je restai ainsi de longues heures à regarder l'obscurité. Cette nuit me parut éternelle.

Enfin des arabesques rougeoyantes apparurent dans le ciel. Je sentis sur mon visage la douce chaleur, encore bien faible, des premiers rayons du soleil. Mes cheveux étaient humides de rosée et je me sentais tout endolorie d'avoir couché sur le sol.

L'aube arrivait. La rosée scintillait maintenant sur chaque branche et sur chaque brin d'herbe. La pâle clarté de l'aurore fit place à une lumière éclatante. Un, dix, cent, mille appels d'oiseaux s'amplifièrent en un chant matinal.

Le jour était venu. J'oubliais ma détresse. J'admirais.

Tout à coup, je fus saisie de peur. On marchait dans le sentier. Des pas lourds s'approchaient. Fuir? Dans quelle direction?

Bientôt, une vieille femme apparut entre les arbres. Je m'allongeai à plat sur le sol, mais elle m'avait déjà aperçue.

— Bonjour, me lança-t-elle gaiement, alors on fait encore du camping dans cette saison avancée? La journée sera belle.

Elle passa.

Peu après, la fille de la châtelaine vint me rejoindre. Elle sembla toute joyeuse de me retrouver et me dit n'avoir pu dormir tranquillement en pensant à mon isolement. Je l'informai aussitôt qu'une femme des environs m'avait surprise. Elle partit prévenir sa mère et elles revinrent toutes les deux.

— Que d'ennuis! s'écria la châtelaine irritée. Si j'avais prévu tous ces tracas, jamais je n'aurais accepté cette mission. Ah! non.

Au centre de la forêt se dressait une cabane, ancienne demeure de garde-chasse, maintenant utilisée pour y ranger des outils de jardinage et des meubles cassés, parmi lesquels il y avait un lit pliant.

C'est là que la châtelaine me conduisit.

J'étais transie. La jeune fille m'apporta un broc d'eau chaude pour ma toilette, ainsi que du café et du pain. Elle épousseta rapidement le lit pliant, alla chercher un matelas qu'elle recouvrit de couvertures.

Je tremblais toujours de froid. Apitoyée, elle m'aida à me coucher tout habillée. Ensuite, elle ferma la cabane à clef afin qu'en cas de recherches on ne la trouve pas ouverte, puis elle partit en me promettant de revenir.

Longtemps, j'essayai de me réchauffer. Je m'endormis enfin, agitée de cauchemars.

À midi, j'entendis un bruit de serrure, la porte s'ouvrit et, tel un ange gardien, M. Marius m'apparut. Il venait de faire la route à bicyclette et il avait été trempé par une averse. Il me raconta qu'après avoir reçu mes provisions de toute la semaine, y compris les deux paquets de cigarettes, la châtelaine lui avait annoncé qu'il me fallait partir immédiatement.

— N... de D...! jura-t-il, en écrasant du talon deux grosses araignées qui couraient sur le sol, joli château où vous êtes tombée!

S'asseyant sur une vieille caisse, il me dit qu'il avait fait la tournée des amis sûrs, mais que partout il y avait un accroc. Tantôt les voisins étaient pour la « collaboration », tantôt c'était le fils de la famille qui servait à la police. Il me proposa, en attendant, de revenir chez eux.

Il alla ensuite parlementer avec mon hôtesse et il fut décidé que je passerais encore la nuit dans la cabane, qui serait balayée et nettoyée, et que je partirais définitivement le lendemain dans l'après-midi. Il régla le loyer.

Tout le ravitaillement de la semaine, viande, vin, dix kilos de pommes de terre, ainsi que les cigarettes, restaient en possession de la famille pour la dédommager.

M. Marius me déclara :

— Ils sont embêtés de vous voir partir parce que vous leur rapportiez et ils ont en même temps peur de vous garder. J'ai l'impression, ajouta-t-il en riant, qu'ils ne seraient pas fâchés si vous continuiez à leur payer le loyer et à leur assurer le ravitaillement... tout en vous en allant. Cela les arrangerait !

Il m'invita à faire quelques pas dans la forêt pour me donner du mouvement. Pendant cette courte promenade, il fit encore tout son possible pour m'encourager.

Lorsqu'il partit, je me pris, en effet, à espérer que tout pourrait s'arranger. Rentrée dans ma cabane, je me mis à lire. Le soir, le chat de la maison, Noiraud, vint me rejoindre, et la jeune fille l'enferma avec moi pour qu'il me tienne compagnie.

Le lendemain, je me levai avec une nouvelle énergie. Il m'en fallait, car la descente vers le village pour y prendre, devant la gendarmerie, l'autocar qui devait me ramener à Nice constituait un danger évident.

Dans la matinée, la châtelaine et le jeune homme firent leur apparition à la cabane. Le fils me demanda s'ils pouvaient compter sur ma loyauté; il craignait qu'en cas d'arrestation je ne révèle le lieu de mon dernier séjour. Ils insistèrent encore sur le danger de la visite du gendarme. Je demandai alors de quoi écrire et rédigeai une lettre à la châtelaine, exposant que, sans l'avoir informée de ma race, j'avais profité de son hospitalité pour chercher un gîte au château, et que je quittais à son insu la maison pour lui éviter des ennuis.

Je fus alors admise à passer au château le reste de l'après-midi.

Vers cinq heures, j'endossai de nouveau mon déguisement. Avec une boîte à lait et un panier rempli de tomates, je m'engageai sur la route nationale.

Au carrefour, près de la fontaine, j'aperçus Mlle Yvonne, la jeune châtelaine, qui paraissait m'attendre.

— Permettez-moi, madame, de vous accompagner un instant.

Et, s'accordant à mon pas, elle poursuivit :

— Je ne suis pas allée vous faire mes adieux avec ma mère, je n'ai pas voulu assister à toutes les odieuses recommandations que mon frère se proposait encore de vous prodiguer. Je vous en prie, madame, pardonnez à ma mère! Elle subit l'influence de son fils! Lui, il est jeune, il peut encore changer lorsque la vie sera redevenue normale, n'est-ce pas? Mon Dieu! Que devez-vous penser de nous? J'ai tellement honte! Je suis française, j'ai horreur de la lâcheté! J'ai été élevée au couvent. Nous sommes chrétiens! On ne le dirait pas!

S'arrêtant, émue, à bout de souffle :

— Madame, permettez que je vous embrasse.

Elle m'entoura de ses deux bras.

— J'aurais aimé vous accompagner jusqu'à Nice pour être rassurée à votre sujet, mais on constaterait mon absence; alors cela n'en finirait plus.

— Bonne chance, mademoiselle Yvonne, je n'oublierai jamais votre gentillesse envers moi, lui dis-je en l'embrassant à mon tour.

J'accélérai le pas et me retournai après un moment pour un dernier signe d'adieu à la jeune fille, qui s'était arrêtée pour me suivre du regard.

Je marchais vite, l'oreille et les yeux aux aguets, les nerfs tendus, mais une joie intérieure m'accompagnait : je revivais l'adieu de la jeune Française.

★

Devant moi, une vue merveilleuse : ici, des rochers arides et dénudés; là, des montagnes verdoyantes, de vastes champs de fleurs, des oliviers, des palmiers, des citronniers et des orangers; toute la flore généreuse du Midi. Dieu, que c'était beau!

Des routes aux courbes fantasques courant à travers champs, prairies et campagnes paraissaient des rubans blancs destinés à relever la beauté du décor.

L'air des champs emplissait mes poumons, le soleil me réchauffait de sa douce chaleur d'automne.

À qui Dieu veut montrer ses merveilles
Il l'envoie par monts lointains...

Je marchais au rythme de ma chanson en m'approchant du village. Alors je ralentis pour jeter un regard circulaire : la route menait vers Nice et la police y faisait des battues continuelles.

Encore cinq cents mètres. Je m'arrêtai. Au loin, un point apparut. Il s'approchait à grande allure. Il n'y avait pas de doute possible, c'était une motocyclette. J'accélérai de nouveau le pas pour ne pas attirer l'attention par l'hésitation de ma marche et j'avançai au-devant de la motocyclette qui brillait maintenant de tous ses aciers.

J'entendais battre mon cœur et j'essayais d'avaler la boule que je sentais dans ma gorge.

La machine grandissait rapidement. Elle eut tôt fait de m'atteindre. Le bruit de l'accélérateur... Déjà elle était loin...

. . . .

Quelle est cette femme déguisée qui avance d'un pas allègre en chantant à mi-voix une mélodie de son enfance ?

Je suis cette paysanne en sabots qui chantonne au rythme de ses pas sur la route blanche d'un pays merveilleux.

VIII

RETOUR À NICE

C'était dimanche. Beaucoup d'animation sur les chemins et sur les routes. En arrivant au village, au lieu d'attendre le tram à la station principale, je continuai jusqu'à
l'arrêt suivant. Je contournai ainsi la gendarmerie et me
trouvai en plein champ. Inconvénient imprévu! Le petit
tram bondé ne s'arrêta pas à cette halte. Je ne pus monter
que dans le suivant. Une demi-heure d'inquiétude sur la
grand-route. Mais je ne fus pas appréhendée.

Aux portes de Nice se trouvait un octroi dont les fonctionnaires venaient inspecter colis et paniers; cette formalité ne fut pas sans émotion pour moi, bien que je n'eusse,
en vérité, aucun vivre rationné dans mon sac.

Je descendis à l'arrêt de la place Masséna où M. Marius
devait venir me chercher vers sept heures. Dans ma
hâte, je me trouvais en avance de trois quarts d'heure
au rendez-vous. Je me mis machinalement à compter les
policiers à pied, à bicyclette, à motocyclette, qui traversaient la place. J'étais arrivée au nombre de vingt-huit
lorsque j'aperçus enfin M. Marius à vélo. Il me fit signe
de le suivre et prit par une rue transversale où j'allai le

rejoindre. Poussant sa bicyclette et marchant à côté de moi, il me recommanda de prendre le tram et d'aller chez lui, en entrant par la cour, après m'être assurée que personne ne se trouvait près de la porte. Mon déguisement me rendait d'ailleurs méconnaissable et je pouvais y aller carrément. Lui-même, à son dire, ne m'avait pas d'abord reconnue.

Dès que j'eus franchi le seuil des Marius, un sentiment de sécurité absolue me pénétra. Craintes et dangers étaient oubliés et cette tension permanente dans laquelle je me trouvais disparut comme par enchantement.

Je me mis à raconter mon odyssée à Mme Marius et tout mon humour me revint de l'entendre rire aux éclats à ma description de la châtelaine et de son fils.

Puis l'on se mit à table. M. Marius nous exposa sa nouvelle découverte : une jeune ouvrière, piqueuse à la machine, qui travaillait pour les grands magasins de confection, sous-louait une pièce de son petit logement. Sa chambre était précisément libre, elle pouvait m'héberger. Mais il y avait un inconvénient : cette jeune personne avait des amis, permanents et occasionnels. C'était fâcheux, mais, tout bien réfléchi, il s'était décidé à m'en parler parce que cette solution présentait de grands avantages. L'intéressée s'était montrée enchantée de l'aubaine. Le fait que son logement avait, si l'on peut dire, un caractère « quelque peu public » permettait de supposer que la police n'allait pas y porter ses recherches pour le moment. Mlle Marion – c'était son nom – devait passer le soir même pour prendre la réponse.

★

Marion était une femme d'une trentaine d'années, grande, mince, élégante. Sa chevelure et ses yeux noirs, sa grande bouche sensuelle, sa beauté un peu vulgaire lui donnaient un attrait singulier.

Elle fixa pour la chambre le prix qu'avait demandé la châtelaine et nous acceptâmes, comme de juste.

Je voulus suivre Marion, mais M. et Mme Marius décidèrent qu'il valait mieux, pour des raisons de sécurité, attendre le lendemain. Nous partîmes, Mme Marius et moi, à cinq heures du matin, alors que la police n'était pas encore en action.

Marion avait son appartement dans les environs de la gare du Sud, dans un immeuble neuf avec confort moderne. Elle en était très fière. Deux fenêtres donnaient sur la rue et une sur une petite cour. Je fus installée dans la chambre de derrière. Cette pièce contenait un divan recouvert d'une tapisserie à ramages, une petite table, deux tabourets ; aux fenêtres, des rideaux aux motifs bariolés. Tendus aux vitres, des brise-bise furent posés afin de déjouer la curiosité des voisins. Lorsque je voulais aérer la pièce, je devais m'approcher à genoux et, dans cette position, allonger le bras pour tirer le cordon. Un tapis, genre turc, acheté à un sidi, complétait le décor.

M'étant installée, j'appris que j'avais des colocataires : trois chattes et un matou. Marion adorait les chats, mais elle ne voulait pas les laisser pénétrer dans le « salon » qui servait en même temps de chambre à coucher. Aussi la famille féline se trouvait-elle reléguée dans la pièce sous-louée. Marion m'assura que jusqu'ici aucun locataire n'avait vu le moindre inconvénient à cette cohabitation.

Ma situation toute spéciale m'obligeait, bon gré, mal gré, à suivre la tradition de mes prédécesseurs.

Certes, j'aimais les chats, mais en moins grand nombre.

Je m'endormais donc avec mes compagnons, l'un sur mon épaule, l'autre à proximité de ma tête et les deux derniers sur mes pieds. Le moindre mouvement du bras ou des jambes de ma part était interprété comme une invite à un jeu de cache-cache et, parfois en pleine nuit, mon lit était le théâtre de sauts et de bonds qui avaient vite raison de ma quiétude.

En rançon de cette cohabitation, ma couche et mes vêtements se recouvraient de poils et, hélas, aussi de puces. Mon hygiène personnelle ne suffisait pas à me délivrer de ces calamités. Je dus prier Mme Marius de m'acheter une poudre insecticide à l'usage des chats et un peigne spécial pour attaquer le mal à la racine, procédé qui me permit de nettoyer à fond mes quatre compagnons. Marion se montra très sensible à mon dévouement, un peu forcé, et, par surcroît, l'attachement de tous les chats me fut dès lors acquis! Ils ne me quittaient plus!

La sonnette retentissait fort souvent chez Marion. Ses visiteurs avaient diverses façons de sonner, d'un à six appels, avec des rythmes différents. Ces coups de sonnette me faisaient sursauter, particulièrement lorsque j'étais seule. Inutile de dire que je m'abstenais d'aller ouvrir.

Ma chambre était heureusement séparée du reste de

l'appartement par un corridor et un rideau épais. Je pouvais lire et écrire à mon aise sans être trop incommodée par ce va-et-vient.

Chaque jour, l'un des Marius venait m'apporter à manger. À heure fixe, j'allais à la cuisine, d'une propreté exemplaire d'ailleurs, pour y prendre mon repas. Nous nous mettions à table toutes deux, entourées des chats qui ronronnaient et cherchaient à ravir quelque morceau friand de nos assiettes.

Marion aimait l'argent, mais, comme elle l'expliquait, c'était parce qu'elle avait « l'expérience de la vie et de la perfidie des hommes ». Elle me racontait son passé, ses efforts et ses déboires. Elle avait bon cœur, mais c'était une fille dénuée de caractère. Malgré la sympathie qu'elle me témoignait, elle devait bientôt se montrer accessible à de néfastes influences.

J'étais, un après-midi, en train d'écrire une lettre à Mme de Radendorf qui, depuis ma nouvelle installation, avait cessé ses visites pour ne pas éveiller l'attention. Marion entra chez moi et, s'approchant, me souffla :

— Il y a dans l'entrée un type de la police. Il veut vous parler en particulier. Vous pensez si j'ai eu la trouille en le voyant ! J'ai nié votre présence, mais il m'a dit qu'il était au courant et qu'il voulait seulement vous avertir.

Sans attendre ma réponse, Marion s'était déjà écartée, laissant entrer un homme de vingt-cinq à vingt-huit ans.

— Ne craignez rien, me dit-il avec un large sourire en s'approchant et en s'asseyant sur un tabouret. Je viens d'être démobilisé, commença-t-il ; j'étais dans la marine et ils m'ont fourré pour le moment dans la police secrète.

J'ai pour mission de rechercher actuellement les réfugiés
qui se cachent. Depuis un bon moment, je suis votre trace.
Enfin, je vous ai repérée ! Mais vous êtes une femme, j'ai
pitié de vous. Je suis prêt à me taire... Vous savez probablement ce qu'un tel silence signifie ? Je peux être puni,
emprisonné ! Vous me comprenez, n'est-ce pas ?

— Vous désirez un dédommagement ? lui demandai-je.
Il écarta les bras :

— Je risque gros, madame.

— Combien ? dis-je.

— Sept mille, répondit-il laconiquement.

Ce chiffre me frappa. C'était exactement la somme
que l'on venait de me proposer trois jours avant pour ma
machine à écrire. (Ma machine était confisquée à l'hôtel
sur l'ordre de la police, avec le reste de mes effets. Un locataire m'avait offert, par l'entremise d'amis, de l'acquérir,
ignorant que je ne pouvais en disposer.) Marion était au
courant de l'affaire. Cette coïncidence m'étonna et, en un
éclair, la pensée de sa complicité me traversa l'esprit.

Il y eut un moment de silence. Je dus faire un grand
effort pour me lever. M'approchant de la porte, je l'ouvris
et j'appelai :

— Mademoiselle Marion !

Celle-ci se trouvait tout près de ma chambre.

— Marion, lui dis-je, ma cachette est maintenant découverte. Tôt ou tard cela devait arriver. Passez-moi mon manteau et mon châle. J'accompagne monsieur au commissariat.

— Mais voyons, madame, s'écria-t-elle, puisque monsieur est arrangeant, vous n'allez pas vous perdre et nous
avec vous.

— Monsieur ne risque rien, la rassurai-je, il ne fait que son métier. Il en aura la récompense d'usage. Chaque dénonciation rapporte une prime.

— Et moi qui vous ai cachée et soignée! s'écria-t-elle désespérée.

Au moment où j'approchais de la porte, elle me saisit par la manche. Je me dégageai avec dégoût. Alors, se tournant vers le faux policier, elle le supplia :

— Louis, voyons, empêchez-la donc!

Et elle éclata en sanglots.

Le jeune homme la repoussa, gagna lui-même la porte et descendit l'escalier quatre à quatre.

Il restait à prévoir qu'il allait me dénoncer.

Je dis à Marion de prendre le tram et d'aller demander aux Marius ce que je devais faire. À moitié folle, elle partit.

Bientôt, la complicité de la fille devint manifeste, car aucun policier ne se présenta. Le fameux détective la ménageait visiblement.

Il faisait tout à fait nuit lorsque Marion revint. Elle m'apportait un mot de M. Marius me disant de venir le soir même, après l'extinction des lumières, en me faisant accompagner par Marion.

Nous restâmes toutes les deux sans prononcer une parole à attendre dix heures. Les chats tournaient autour de nous, faisant mille grâces et mille caresses. Ils avaient l'air de vouloir renouer les liens que des semaines de vie commune avaient tissés entre nous et que la faiblesse de leur maîtresse venait de briser si lamentablement.

★

Lorsque, vers onze heures du soir, nous arrivâmes à pied au milieu des ténèbres, les Marius nous attendaient avec impatience. Le patron dit à Marion de rester auprès de sa femme jusqu'à ce qu'il revînt.

Il sortit avec moi et, sans mot dire, me conduisit vers un passage voisin, où il s'adressa à mi-voix à une silhouette qui stationnait dans l'ombre.

— Bonsoir, madame, nous sommes en retard. Nous vous expliquerons après pourquoi. C'est aimable de votre part de nous avoir attendus.

Puis, se tournant vers moi :

— Suivez cette dame, nous viendrons vers minuit.

Je marchais en silence derrière la femme qui, en savates, avançait à pas étouffés. Nous tournâmes ainsi deux coins de rue et nous entrâmes dans une maison. Ma nouvelle hôtesse préféra ne pas allumer la minuterie et nous dûmes monter l'escalier à la lueur de nos lampes de poche. Au troisième étage, elle ouvrit une porte et me laissa entrer la première. La lumière jaillit et... je me trouvai devant l'une de mes bonnes connaissances, Mme Lucienne !

Ma surprise était grande. Nous nous embrassâmes. Elle m'introduisit dans la belle chambre qu'elle m'avait réservée.

J'avais dû prendre froid, car je commençais à grelotter et à claquer des dents. Mme Lucienne m'aida à me déshabiller, me donna une chemise de nuit de laine et me prépara vite une bouillotte et de la tisane chaude.

Vers minuit, quelqu'un gratta doucement à la porte. C'étaient les Marius. En présence de ces êtres qui me témoignaient tant de dévouement, je fondis en larmes. Mes déceptions, mon amertume s'en allèrent, effacées par un immense sentiment de gratitude. Eux aussi paraissaient émus, car si la joie d'être sauvé est grande, celle de porter secours à un être humain dans la détresse doit, sans doute, la dépasser chez les cœurs bien nés.

On bavarda, on fit des projets et, cette nuit-là, je m'endormis apaisée.

Mme Lucienne avait été pendant vingt-cinq ans infirmière dans un hôpital de Marseille, où elle s'était dépensée corps et âme. Pensionnée, elle s'était retirée à Nice, pays de ses rêves, où, avec ses quelques économies, elle avait pu se créer une retraite intime et douillette. Elle avait paré sa demeure de tout ce dont elle avait été privée pendant un quart de siècle de dur labeur. Des étoffes gaies, de nombreux coussins, des bibelots amusants agrémentaient le décor; des colibris aux couleurs vives, des canaris, des perruches, un perroquet verdoyant et bavard, un merle et même un moineau blessé, recueilli par pitié, remplissaient deux cages ou voltigeaient dans la pièce.

Devant les fenêtres et à l'intérieur, sur des tables, dans de nombreux vases, partout, des fleurs. L'appartement était plein de parfums, de chants et de gaieté.

Mme Lucienne, grande, robuste, très brune, avec de bons yeux marrons, portait des robes aux couleurs vives, des boucles d'oreilles à longs pendentifs, de grandes broches voyantes et à sept doigts sur dix, des bagues avec des pierres de couleur.

Veuve d'un premier mariage, elle avait, depuis, divorcé deux fois. Les hommes, disait-elle, la décevaient.

Je l'avais connue naguère dans mon petit restaurant. Elle, tout en couleurs, moi, tout en noir, nous avions éprouvé une singulière sympathie réciproque.

Sa longue existence administrative lui avait façonné une âme de fonctionnaire. Elle n'accordait crédit qu'à l'autorité ou aux règlements officiels. Elle respectait la police, qu'elle croyait consacrée exclusivement à la répression des crimes et à la poursuite des malfaiteurs. Accordant une confiance illimitée à son quotidien, elle y puisait sa nourriture spirituelle. Sa radio et son journal lui fournissaient à bon compte opinion politique et vues sur le monde. Elle n'aimait pas, disait-elle, se creuser la tête et elle acceptait volontiers les jugements tout faits. Sincèrement persuadée de la liberté d'action du Maréchal et de son entente parfaite avec les vainqueurs, elle faisait candidement confiance à l'orientation politique du moment.

Lors des persécutions, elle avait été d'abord froissée, car elle était foncièrement bonne. Les leçons d'histoire juive qu'elle suivait à la radio, les « méfaits séculaires » de ce peuple lui avaient fait admettre que les mesures en question, quoique pénibles, étaient probablement nécessaires. Ce point de vue nous avait séparées.

Aussi mon étonnement fut-il grand lorsque je me trouvai subitement face à face avec Mme Lucienne. Me sachant en danger, elle venait régulièrement chez les Marius pour prendre de mes nouvelles. Ils lui avaient raconté, ce jour-là, que j'avais été victime d'un maître chanteur. Elle s'était alors écriée :

— J'ai confiance dans notre gouvernement, puisque le Maréchal en est; mais j'ai pitié de cette femme qui m'a toujours paru honnête et convenable. Je ne puis la croire criminelle. Amenez-la chez moi.

C'est ainsi que je me trouvais installée chez Mme Lucienne.

Mesurant la contrainte qu'elle avait dû imposer à son sens de la discipline et à ses convictions, je fus d'autant plus touchée du sacrifice qu'elle consentait en ma faveur.

Une forte fièvre me cloua au lit pendant une semaine. J'avais vraiment de la chance de me trouver juste à ce moment chez Mme Lucienne, infirmière et garde-malade de premier ordre.

Une agréable intimité s'établit entre nous. Elle me soignait. Nous lisions. Je lui enseignais un jeu de cartes, mais elle en oubliait les règles du jour au lendemain. Je la grondais pour sa distraction. Elle s'appliquait visiblement, sans résultat d'ailleurs.

Elle préférait me faire entendre des disques. À chacun d'eux était lié un de ses souvenirs sentimentaux qu'elle me racontait avec mélancolie.

Une parente, buraliste en retraite, vivait avec elle et m'adopta également. Ces deux femmes, issues d'une famille vouée traditionnellement à l'administration, m'entouraient de leur attention, jalouses, semblait-il parfois, de mon amitié. Mais en même temps elles se rendaient compte qu'elles « contrevenaient aux lois de l'heure » et elles en éprouvaient des scrupules dans leur conscience de fonctionnaires modèles. C'était « deux tempêtes sous deux crânes ».

Leur cœur de bonnes Françaises semblait toutefois l'avoir emporté. Chaque fois que Radio-Paris exposait les

raisons des mesures raciales, Mme Lucienne était visiblement inquiète sur la légitimité de son action, mais en me
regardant à la dérobée elle tournait le bouton en disant :

— Tant pis pour cette clause de la collaboration !

Alors nous échangions un sourire « d'entente cordiale ».

Pour ne pas attirer l'attention en transportant avec nous
des valises, j'étais partie de chez Marion sans rien emporter.
Le surlendemain, Mme Marius alla chercher mes vêtements. Marion lui remit une valise contenant quelques
menus objets. Quant aux robes, elles avaient disparu !

Après mon départ, raconta Marion, de crainte d'une
perquisition, elle avait porté mes affaires à la cave. Le
matin, sachant que Mme Marius viendrait, elle alla rechercher la valise. Elle la trouva fracturée et les deux robes n'y
étaient plus !

Avant de venir m'annoncer ce nouveau pillage, les Marius
en firent presque une maladie. Mais le moment était mal
choisi pour protester. Il fallait faire contre mauvaise fortune
bon cœur. Selon son habitude, M. Marius jurait :

— Ils le payeront tous, après la guerre, foi de Marius !

Mme Lucienne et Mme de Radendorf m'offrirent chacune de quoi me vêtir.

Ces marques émouvantes de dévouement et de bonté
m'étaient d'un secours inappréciable.

★

Sans nouvelles de ma mère et de tous les miens, je me
morfondais dans une inquiétude déchirante à leur sujet.
Claustrée, dans l'impossibilité de sortir, sans mouvement,

sans air, je souffrais d'une insomnie qui augmentait jusqu'à l'insupportable ma tension nerveuse.

En guise de récréation, je n'avais que Radio-Paris et le journal français de mon hôtesse! L'un et l'autre m'accablaient par l'annonce régulière des défaites des Alliés et l'apothéose de la collaboration. De ce côté, aucune lumière, aucun espoir.

Le danger restait menaçant. Des arrestations étaient effectuées journellement. Il arrivait que la police saisît en pleine rue un malheureux qui s'y était hasardé par besoin insurmontable de mouvement et d'espace ou pour faire quelque démarche importante et urgente.

Certains risquaient leur liberté pour se retremper un instant dans l'atmosphère de la ville.

Des arrestations eurent lieu à plusieurs reprises devant les consulats suisse et américain où les réfugiés se rendaient pour voir si un visa ou un avis n'était point arrivé à leur nom. Car aucun d'eux n'avait d'adresse fixe où l'on pût l'atteindre.

Chaque fois qu'une nouvelle retraite était découverte, les journaux la mentionnaient et profitaient de l'occasion pour avertir la population du danger qu'elle courait à continuer d'aider les réfugiés.

J'examinais sans cesse les possibilités d'un déplacement vers la frontière, d'où je voulais tenter de fuir en Suisse. Je préparais fiévreusement les détails d'une évasion, avec le secours d'amis de Suisse et de Nice.

Ma retraite chez Mme Lucienne aurait duré jusqu'à la réalisation de mon départ si deux incidents n'étaient venus en compromettre la sécurité.

L'appartement donnait sur des jardins et sur une prairie. Comme je ne m'approchais jamais des fenêtres, personne ne pouvait me voir. Un jour que j'étais assise à table, au milieu de la pièce, occupée à lire, j'eus l'impression d'être observée. En face de moi, juché sur un arbre, le concierge était en train de cueillir des figues. Voyant que je l'avais aperçu, il me dit bonjour. Mme Lucienne recevait de fréquentes visites et ma présence pouvait ne pas l'étonner. Pourtant ce fait nous causa de sérieuses inquiétudes.

Quelques jours plus tard, une maladresse faillit me perdre.

Comme j'étais isolée du monde extérieur, des amis venaient pour me transmettre une communication urgente, m'apporter une lettre, un avis, un conseil, les nouvelles politiques que donnaient les radios étrangères ou simplement pour me raconter les menus faits du dehors.

Ils m'exprimaient leur sympathie et me prodiguaient leurs encouragements. Pour ne pas attirer l'attention, ces visites ne pouvaient se multiplier. Chacun devait s'annoncer d'avance aux Marius et profiter d'un moment propice.

C'est ainsi que, après l'extinction des lumières, j'attendais un dimanche la visite d'un ancien voisin. Celui-ci rentrait d'un voyage d'orientation fait pour le compte de ses amis. Il avait parcouru l'Isère et la Savoie et venait me donner des indications utiles à l'exécution de mon projet.

À son arrivée, devant la porte de l'immeuble, il aperçut une femme dans l'ombre. Il s'approcha et lui demanda si elle l'attendait pour le conduire chez la dame polonaise. La femme, qui était justement la toute-puissante concierge, répondit qu'il n'y avait pas « d'étrangers dans la maison, mais seulement de bons Français ».

Conscient de la bévue qu'il venait de commettre, mon visiteur s'excusa et partit dans l'intention de revenir un peu plus tard.

La concierge ne manqua pas de grimper les étages pour annoncer aux locataires que l'on cherchait une étrangère qui, paraît-il, se cachait dans la maison. Elle vint naturellement aussi chez nous.

Je n'oublierai pas la mine à la fois inquiète et désolée de cette pauvre Mme Lucienne. Elle entra dans ma chambre en coup de vent et, arpentant la pièce avec agitation, elle répétait : « Ça va mal..., ça va mal..., ça va mal ! » et elle se tordait les mains.

Elle me dit que toute la maison était alertée. Il fallait donc partir avant que le bruit n'arrivât au commissariat.

Comme toujours, les Marius furent avertis et je me trouvai – pour la troisième fois – rendue à mes bienfaiteurs attitrés.

Ils me reçurent avec leur bienveillance coutumière et un courage qui s'ignorait. Bien que mes retraites successives chez eux eussent toujours été des conclusions de désastre, je me sentais pourtant chaque fois joyeuse en franchissant leur seuil. Leur sollicitude inépuisable me donnait la sensation absolue d'être hors de danger.

★

Les chemins de fer, les routes nationales, toute la circulation se trouvait contrôlée par les autorités allemandes et par la police française à leurs ordres. À l'entrée et à la sortie des gares, devant les guichets, sur les quais, aux stations principales d'autocars, aux octrois de la périphérie, les voyageurs étaient interpellés par des gendarmes et leurs papiers soumis à l'examen. Dans les trains, la police allemande en civil opérait à l'improviste, parfois à plusieurs reprises sur le même trajet. Sur les routes, tous les véhicules, des automobiles de luxe aux charrettes à ânes, étaient arrêtés. Il était interdit à tous les étrangers de quitter les limites de leur résidence, à moins qu'ils ne fussent munis d'un sauf-conduit. Cette pièce n'était pas délivrée aux étrangers de race juive. Et pourtant il fallait coûte que coûte risquer la fuite; c'était pour eux le seul moyen de salut! Dilemme insoluble!

Tout réfugié songeait alors à fuir vers la Suisse, l'Espagne ou l'Angleterre. Il recourait à des moyens ingénieux, hasardeux et dangereux à la fois. Les systèmes se multipliaient et se perfectionnaient avec le temps.

Les plus courageux se mettaient simplement en route, cheminaient la nuit, se cachant pendant la journée dans les fourrés, les bois ou chez des hôtes charitables. De nombreuses familles françaises s'offraient à fournir des asiles. Une véritable organisation s'établit avec des ramifications de ville en ville, ses moyens de correspondance secrète, ses messagers, ses agents de transmission, et même des transports de bagages! Parfois, dans l'impossibilité de continuer leur route, les fugitifs restaient des jours, des semaines et même des mois chez leurs hôtes français. Ceux-ci non seulement les dissimulaient, mais trouvaient le moyen de les nourrir. Et c'était là un tour de force, car ces malheureux ne disposaient plus de cartes de ravitaillement.

L'on pourrait écrire un volume sur le courage, la générosité et l'intrépidité de ces familles qui, au péril de leur vie, apportaient leur aide aux fugitifs dans tous les départements et même en France occupée. Il n'était pas rare qu'on utilisât des papiers d'identité français, ce qui permettait de voyager sans autorisation spéciale[1]. Et il y avait partout en France des gens de bonne volonté qui n'hésitaient pas à prêter leurs documents[2].

En novembre 1942, une nouvelle décision stipula que tout voyageur devait être porteur, en plus de sa carte d'identité, de ses titres de ravitaillement. C'était grave, car si un Français pouvait se passer pendant quelque temps de ses pièces de légitimation, il ne pouvait pas demeurer longtemps sans carte d'alimentation.

Une nouvelle industrie naquit alors et prit bientôt un large essor : la fabrication de ces titres à l'usage des fugitifs ; industrie qui vint se joindre à celle, déjà existante, des cartes d'identité.

On choisissait les noms de Français résidant au loin, dans des zones interdites, aux colonies ou à l'étranger, là où le contrôle était impossible. Les cartes d'identité fabriquées servaient aussi à ceux qui devaient renoncer

1. En juin 1943, cette liberté fut réduite par l'obligation étendue aux ressortissants français de se munir de sauf-conduits.
2. Les pièces d'identité françaises juraient avec l'accent étranger de leurs détenteurs. Le subterfuge apparaissait flagrant en cas de contrôle. Des fouilles révélaient vite les véritables papiers que les fugitifs gardaient en prévision de l'avenir.

à la fuite. Pendant l'occupation, de nombreux étrangers, juifs ou simplement ressortissants des pays en guerre avec l'Allemagne – Anglais, Belges, Hollandais, Norvégiens, Polonais et Russes –, surpris en France par la guerre, se cachaient sous de tels noms. Quant à la carte de ravitaillement, ils n'avaient pas besoin de s'en procurer une fausse, l'état civil authentique qu'ils avaient emprunté leur donnant droit à un titre en règle.

D'habiles dessinateurs et graveurs livraient ces documents qui atteignirent parfois la perfection dans l'imitation, et aussi des prix fabuleux! Ces prix variaient selon la conjoncture : recrudescence ou relâchement des persécutions. Certains réalisèrent leur avoir et vendirent une partie de leurs vêtements pour acquérir ces pièces indispensables.

Des organisations françaises clandestines délivrèrent bientôt ces documents gratuitement, prodiguèrent les conseils et les indications utiles, fournirent l'argent nécessaire aux déplacements et des vêtements à ceux qui arrivaient démunis de tout.

Ces œuvres disposaient de subventions secrètes et l'on n'ignorait pas que des personnalités françaises religieuses et laïques se trouvaient à leur tête.

En décembre 1942, le gouvernement de Vichy doubla son appareil policier, multiplia les mesures de contrôle, resserra sa vigilance. Les fils de fer barbelés furent renforcés partout. L'emploi de chiens policiers fut inauguré.

Il arriva un moment où personne n'osait plus se hasarder seul sur les routes. On recourut alors à des guides qui connaissaient les chemins, les pistes, les sentiers secrets, les ruisseaux faciles à traverser, le chemin de montagne le mieux défilé.

Ces guides possédaient quantité de « tuyaux » et disposaient de l'aide des populations, dans certains cas même de la complicité de gendarmes et de douaniers. Ils étaient les maîtres d'un nouveau trafic, le trafic humain. La profession de « passeur » venait de naître.

Lorsqu'une expédition échouait, les fugitifs étaient conduits vers la maison d'arrêt la plus proche où, après avoir purgé leur peine pour tentative de franchissement clandestin de la frontière, ils étaient triés selon leur âge et leur nationalité et menés dans des camps de concentration français ou bien dans des forts. De là, un nouveau tri les conduisait vers la déportation définitive.

★

Parmi les camps français figuraient celui de Noë pour vieillards, malades et infirmes, ceux de Récébédou, près de Toulouse, de Masseube (Gers), de Rivesaltes (Pyrénées-Orientales), le centre de Rabès (Corrèze), de Gurs (Basses-Pyrénées), affecté aux juifs d'Allemagne, de Hollande, du grand-duché de Bade et du Palatinat.

Ce dernier camp reçut, à partir de 1941, tous les réfugiés juifs étrangers, sans distinction de nationalité.

C'était de tous les camps le plus terrible, un véritable enfer. En hiver 1940-41, il y mourait d'épuisement, de maladie, de froid et d'épidémies, de quinze à vingt-cinq personnes par jour. Le camp de Drancy (Le Bourget), enfin, réunissait les étrangers de race juive habitant depuis longtemps la France, aussi bien que les réfugiés de fraîche date, destinés à la déportation.

Il arrivait fréquemment que les prisonniers des camps français fussent libérés, grâce aux interventions les plus diverses. Du camp de Drancy, se trouvant sous la direction immédiate des autorités allemandes, personne n'est jamais revenu.

★

Les accidents, vols, chantages, arrestations, déportations, les tentatives manquées se colportaient rapidement dans le pays.

Aussi le nombre des fuites diminua-t-il très vite. Épuisés par les épreuves, affaiblis par leur longue réclusion et l'inertie qu'elle imposait, les réfugiés avaient perdu toute énergie. L'évasion se présentait comme une entreprise d'envergure aux résultats trop aléatoires. Résignés, ils finirent par attendre passivement leur sort, renonçant à leurs projets et en même temps à tout espoir.

Seuls quelques intrépides, surtout parmi les jeunes, préféraient affronter le péril. Ils partaient, emportant des poisons violents, des armes ou, à leur défaut, une ration de somnifère suffisante pour se donner la mort en cas d'échec.

Si quelqu'un disposait d'un visa d'entrée dans un autre pays, il n'hésitait jamais à se mettre en route.

J'attendais précisément un tel visa pour la Suisse et afin de ne pas compromettre cette possibilité de salut, je devais me terrer encore quelque temps à Nice.

★

Il y avait à Cimiez une belle maison neuve dans laquelle habitaient, au cinquième, deux dames. Elles avaient une étonnante ressemblance : grandes et maigres, elles nourrissaient des antipathies et des goûts communs. Mère et fille, elles étaient toutes deux tricoteuses par suite de revers de fortune. Par ces temps de guerre, le coût de leur loyer dépassait malheureusement leur budget, aussi cherchaient-elles un sous-locataire. De mon côté, j'étais de nouveau en quête d'un refuge sûr. Nous étions donc faites pour nous entendre.

En réalité, elles n'étaient pas du tout disposées à céder une chambre, car chacune d'elles entendait bien conserver la sienne.

Il fut finalement convenu que je coucherais sur le canapé du salon et que je me lèverais de bonne heure pour prévenir une visite éventuelle.

J'aime à reconnaître que ces deux femmes étaient laborieuses, économes, excellentes ménagères; patriotes jusqu'au chauvinisme, elles étaient affligées de deux insupportables défauts : l'un, revers de leur patriotisme excessif : la xénophobie; l'autre : l'envie.

Elles se montraient envieuses de tout et à tout propos : d'une lettre ou d'un mandat transmis indirectement par un concours amical de Suisse, d'une visite, d'une marque de sympathie, de bienveillance ou de dévouement. Elles se montraient envieuses de mon ravitaillement, envieuses même d'un espoir, d'une joie, pourtant si rares dans cette sombre époque de ma vie. Elles n'entendaient me voir que dans mon état normal, c'est-à-dire traquée, abattue, désespérée.

Elles ne manquaient pas une occasion de me faire sentir aigrement leurs dispositions. Faute de chambre, je n'avais pas de coin pour m'isoler. Aussi ces occasions étaient-elles fréquentes, autant dire permanentes.

★

L'arrivée des Italiens dans les Alpes-Maritimes semblait faire suite à une décision improvisée. Pendant des heures, des convois d'artillerie, d'infanterie, de troupes alpines avec des centaines de mulets, suivis de camions, de voitures d'ambulance, défilèrent sur la Promenade. L'état-major italien s'installa dans un palace du centre.

Une nouvelle inattendue se répandit aussitôt : grâce à l'intervention du Saint-Siège, les occupants venaient de décréter la suspension immédiate des persécutions.

La synagogue de Nice, polluée d'inscriptions grossières, avec ses vitraux brisés, fut nettoyée, remise en état et rendue au culte.

Les réfugiés de race juive furent invités à passer dans les commissariats de police pour s'y inscrire et à la préfecture pour y renouveler leurs cartes d'identité et leurs permis de séjour; ordre fut donné à tous les logeurs de restituer tout ce qu'ils détenaient. La protection des juifs par l'occupant italien fut notifiée à la communauté israélite. On vit alors des réfugiés, rescapés des rafles, stationner devant la préfecture. Ils ne formaient qu'un petit groupe.

Issus d'une longue suite d'aïeux parmi lesquels les persécutés ne manquèrent pas, tourmentés et dépouillés pendant des générations, les juifs ont indéniablement l'instinct du danger. Malgré l'attitude libérale des autorités italiennes, ils se méfiaient de l'avenir. Chacun profitait de cette accalmie pour préparer sa fuite vers les régions de la Creuse, de l'Isère et surtout de la Savoie, afin de se rapprocher de la frontière helvétique.

★

Je profitai du répit que l'occupation italienne offrait à tous pour mettre mes affaires en ordre. J'allai, comme tout le monde, faire renouveler mon permis de séjour ainsi que mes cartes d'identité et de ravitaillement. Au commissariat de police et à la préfecture, j'eus la prudence de ne pas donner ma véritable adresse : j'indiquai celle de l'hôtel qui m'avait hébergée précédemment.

Pouvant de nouveau circuler, je faisais en hâte mes préparatifs de départ. Rien ne m'obligeait plus à vivre chez les deux tricoteuses de Cimiez. Aussi allai-je m'installer dans une villa, tout au fond d'un jardin abandonné, chez une Parisienne septuagénaire que je connaissais déjà depuis deux ans.

En prévision des persécutions futures, que je considérais comme inévitables, j'entourais de mille précautions mes allées et venues, cherchant à ne pas être vue, à n'éveiller aucune attention.

Il me fallait d'abord réunir toutes mes disponibilités en valeurs liquides. L'hôtel m'avait restitué mes trois valises.

Je procédai alors à la vente de mes effets, de ma machine à écrire et d'une bague. Je réalisai ainsi pièce à pièce tout ce que je pus, car, dans la fuite que je projetais, aucun impedimenta ne devait m'encombrer.

J'emplis une petite valise avec trois robes, un peu de linge, quelques objets indispensables, chers à mon souvenir, entre autres des photographies. Ce bagage devait me rejoindre en Suisse.

Une fois de plus, je me séparais de mes trois valises vagabondes dont j'ai déjà eu l'occasion d'évoquer les aventures extraordinaires.

Le 15 décembre 1942, je me rendis au consulat de Suisse pour demander si mon visa y était arrivé. Après avoir compulsé quelques dépêches, le secrétaire en sortit une qui me concernait.

Je me sentis envahie par une émotion complexe où se mêlaient la joie et l'inquiétude. Je savais pertinemment que ce voyage vers la frontière comportait l'alternative : salut ou perdition.

Le secrétaire du consulat apposa fort aimablement un cachet sur mon passeport en m'avertissant que « naturellement la frontière était fermée pour le moment ». Il savait comme moi que cette circonstance n'avait, dans mon cas, aucune signification : je ne pouvais quitter la France de façon régulière.

Il s'agissait maintenant de me procurer les cartes d'identité et de ravitaillement d'une Française. Ma logeuse était au courant de toutes mes difficultés : elle se déclara spontanément disposée à m'aider. Elle me raconta qu'elle avait à deux reprises égaré ses papiers, mais que la police ne lui avait infligé qu'un léger blâme, sans doute à cause de son âge avancé. Ses deux cartes lui avaient été renouvelées contre paiement de l'amende d'usage.

Mon hôtesse allait, comme elle disait, « perdre cette fois-ci ses papiers pour la bonne cause ». Comme tant de Français, elle s'élevait avec véhémence contre les procédés du gouvernement et les horreurs qui se déroulaient dans son pays. J'allais d'une marque de générosité à l'autre !

Je devais avant tout entreprendre la tâche compliquée de reporter sur les documents de ma bienfaitrice les détails de mon signalement. Combien d'efforts, de patience et d'application attentive et habile se dépensèrent à enlever les indications d'âge, de taille, de couleur des yeux, de forme du visage, du nez, pour leur substituer celles que j'accusais.

Par malheur, ma bienfaitrice portait une verrue sur le menton ! Ce signe particulier figurait en relief sur son visage et, fait beaucoup plus grave, sur son signalement. C'est ainsi que dans le drame de la vie il se mêle souvent un élément comique, sinon cocasse, et mes amis et moi nous nous penchâmes avec inquiétude pendant huit jours sur ce détail ornemental.

Devais-je m'affubler d'une verrue postiche ? Mais il n'existait pas d'artistes experts en telle matière et il fallut bien finalement faire disparaître la gênante indication au risque de laisser quelques traces de grattage sur le document. Dans un état d'énervement extrême, mais avec une adresse infinie, nous parvînmes avec mille précautions à enlever, tant bien que mal, ce signe particulier.

Il s'agissait, ensuite, tâche non moins délicate, de détacher la photo, solidement collée sur le carton, et d'y substituer la mienne. Là encore, il fallut bien du temps et bien de la patience.

Quant aux nom, prénom, lieu de naissance, je les adoptais, bien entendu. Je m'appelais dorénavant, pour les besoins de la cause, Blanche Héraudeau, née à Paris, rue de Clichy. Le cachet de la préfecture devait achever de rendre la pièce authentique. Il fut dessiné au pinceau ! Les spécialistes d'envergure possédaient, eux, de vrais cachets imités, certains avaient à leur disposition l'empreinte officielle, mais tout cela à des prix inabordables pour moi.

Enfin, les documents se présentèrent sous un aspect fort honnête, à condition qu'on ne les examinât pas de trop près...

★

J'avais tous mes papiers français en ordre, le visa suisse sur ma carte authentique, cette dernière cousue dans mon manteau. J'appris par cœur mon nom et son orthographe et je m'exerçai à imiter la signature de ma bienfaitrice. Les nerfs tendus à l'extrême, forte surtout de mon visa suisse, je me sentais parmi les privilégiés et prête au voyage.

Les Marius, pour qui j'étais devenue à la longue une sorte de vase très fragile qu'ils avaient pris l'habitude de déplacer avec de touchantes précautions, convinrent qu'ils ne pouvaient me laisser partir seule. Cela jamais ! Et les voilà déjà qui discutent entre eux de la possibilité de m'accompagner. Mme Marius, d'une candeur angélique, semblait peu qualifiée pour d'éventuels démêlés policiers. D'autre part, l'absence prolongée de M. Marius aurait fait marcher les langues du quartier.

Cette fois encore, la Providence venait à mon aide. Elle semblait décidément vouloir me conduire vers le salut.

Un habitué des Marius raconta en bavardant qu'il allait passer les fêtes de Noël dans son domaine de l'Isère. Aussitôt M. Marius conçut le projet de me mettre en rapport avec lui. Il connaissait les sentiments de bon Français de son client et il lui exposa ouvertement mon cas.

M. Jean Letellier, architecte de profession, ancien combattant et, de plus, républicain, se montra prêt à me prendre sous sa protection et il vint me voir. Les détails du voyage furent examinés et les décisions prises. J'irais, sous l'égide de mon nouveau protecteur, jusqu'à Grenoble, où il resterait avec moi le temps qu'il faudrait.

C'était avant Noël et les trains étaient bondés. Il fallait prendre les places d'assaut, mais nous réussîmes finalement à nous installer. Il était convenu que mon compagnon s'occuperait des bagages, remettrait nos billets au contrôleur et répondrait autant que possible lui-même à toute question posée.

Le train n'était pas chauffé et M. Letellier étendit une grande couverture de voyage sur nos genoux en me disant en riant :

— Nous pouvons passer pour un couple en vacances. Donnons-nous l'air d'amoureux.

Le voyage débuta ainsi sous de favorables auspices.

Mon compagnon de route était tout à fait l'homme de la situation : de vieille souche française, il avait le type du Gaulois, sans les moustaches, bien entendu. Il portait une veste en peau d'agneau et une casquette assortie. Il donnait ainsi l'impression d'un châtelain rentrant dans ses terres.

Le trajet s'effectua sans incident jusqu'à Marseille. Chacun était plongé dans sa lecture. J'interrompais la mienne de temps en temps pour me remémorer mon nom et mon prénom.

Le contrôle des billets eut lieu sans complication. Mais voilà qu'à Marseille surgirent trois individus glabres, à la mine sombre, qui exigèrent nos papiers pour vérification d'identité. Sans précipitation, je leur tendis les miens lorsque mon tour arriva. Affectant l'indifférence, je souriais à une charmante jeune fille assise en face de moi, qui, elle, s'affairait à la recherche de ses documents qu'elle finit par trouver... dans son sac à main.

M. Letellier me dit plus tard que mon sourire, à ce moment, lui avait semblé à la fois engageant et bête et qu'il avait dû faire un effort pour ne pas pouffer de rire. Je le remerciai au fond de moi-même de détendre ainsi mon inquiétude par une plaisanterie et de témoigner une apparente insouciance, malgré sa propre émotion.

Vingt minutes avant d'arriver à Grenoble, second contrôle. À cette occasion, un incident se produisit. À une dame, que l'on sut après être belge, et qui était porteuse de papiers en règle, les agents de la Gestapo demandèrent son certificat de baptême.

— J'ai quarante-deux ans, j'ai eu besoin de mon certificat de baptême quatre ou cinq fois dans ma vie, mais je n'ai jamais eu l'idée de l'emporter en voyage.

— Vous êtes étrangère et vos papiers ne portent aucune mention de votre confession, répondit l'un des policiers.

À quoi la dame répondit :

— Mais puisque j'ai un sauf-conduit! A-t-on vu, à l'heure qu'il est, délivrer des sauf-conduits à des juifs ?

À ce moment, l'un des voyageurs s'interposa :

— Je connais madame depuis des années, elle est ma voisine. Voici ma carte de directeur d'usine à C... Son mari possède une usine à Charleroi.

Les agents n'insistèrent pas. Ils disparurent pour poursuivre ailleurs la chasse du gibier qu'ils traquaient.

On imagine facilement mes sentiments pendant cet intermède.

IX

GRENOBLE

Nous arrivâmes à Grenoble en pleine nuit. Les hôtels, en ces jours d'avant-fête, étaient pleins. Nous ne trouvâmes un gîte que dans un grand hôtel où était précisément installée la commission italienne.

M. Letellier inspira au portier une telle confiance qu'il put remplir nos deux fiches sans produire nos papiers.

Nous y logeâmes plusieurs jours. Pas la moindre complication. Je croisais sans émoi, dans l'escalier, le hall, le restaurant, des représentants de l'autorité occupante.

On m'avait signalé, dans cette ville, une association secrète qui fonctionnait de façon assez sûre dans les départements de l'Isère et de la Savoie. Mise au courant du mot de passe, je devais m'y rendre et y trouver un guide éprouvé.

Le soir, à six heures, je me trouvais au siège de l'organisation, que j'eus tout le mal du monde à dénicher dans une vieille école à moitié démolie.

Un homme âgé nota mes nom et prénoms authentiques ainsi que l'adresse de mes amis en Suisse et en France, « pour les prévenir en cas de malheur », et me recommanda de me munir, si possible, de chaussures de montagne, de bas de laine et d'une lampe de poche. Puis il m'indiqua une adresse dans un quartier de la banlieue. Je devais m'y rendre le soir même, à huit heures, pour y recevoir toutes indications utiles.

À l'heure dite, je me présentai donc dans une villa où me reçut un monsieur d'une quarantaine d'années, d'aspect décidé et énergique. Il examina mes papiers, vrais et faux, ainsi que mon visa suisse. Je lui remis la somme destinée au passeur. Il me donna les instructions définitives.

★

Je devais me trouver à huit heures du matin à l'entrée de la gare. Je suivrais un jeune homme en blouse d'ouvrier, portant, comme signe distinctif, un pain. Nous fûmes au rendez-vous à l'heure fixée et nous vîmes en effet, accoté nonchalamment à la grille de l'entrée, un ouvrier avec, sous le bras, un grand pain de fantaisie. Je dis « nous » parce que M. Letellier m'accompagnait encore dans ce dernier trajet.

L'ouvrier monta dans le train en direction d'Annemasse. Nous nous installâmes dans le même wagon, mais dans un compartiment voisin.

À chaque arrêt, nous surveillions le quai pour voir si notre cicérone n'était pas descendu, ce qu'il fit au bout de plusieurs stations.

Nous quittâmes le train. L'ouvrier sortit de la gare et nous de même. Après un quart d'heure de marche, nous vîmes notre homme passer à droite de la route. Deux jeunes filles et un garçon, surchargés d'un attirail complet d'alpinistes, s'engagèrent du même côté. Nous avancions ainsi, à une certaine distance les uns des autres. Enfin, notre guide s'arrêta devant une auberge, alluma une cigarette et entra. Les trois jeunes gens dépassèrent la maison, la contournèrent et disparurent par une porte donnant sur la cour.

Nous continuâmes un bout de chemin, faisant mine d'hésiter entre le restaurant se trouvant un peu plus loin et l'auberge. Puis nous entrâmes à notre tour.

L'aubergiste nous mena discrètement vers une petite salle où le couvert était dressé. Le jeune homme déguisé en ouvrier se débarrassa de son pain, s'approcha de nous et se présenta comme adjoint de l'Association d'aide aux fugitifs. En attendant le passeur, il nous proposa de nous mettre à table et nous recommanda de nous restaurer en prévision de la longue marche qui nous attendait.

Nous nous installâmes. Quelques minutes après, une femme, accompagnée de deux enfants, entrait dans la salle. Tandis que le garçonnet de dix ans s'asseyait à notre table, la mère conduisait la fillette, de quatorze ans environ, par la main, comme on le fait pour de tout petits enfants, puis la plaça doucement à côté de son frère. Cette fillette avait un type israélite très prononcé, mais dans son expression la plus pure : la peau d'une carnation d'albâtre, de grands yeux noirs, profonds et veloutés, les cheveux d'un noir bleuté, bouclés autour de son fin visage. Mais l'expression de cette enfant était étrangement lointaine, presque absente.

Ils furent servis avec célérité, car leur passeur devait venir d'un moment à l'autre. Le garçon mangeait de bon appétit, avec l'insouciance de son âge. La fillette restait immobile et sa mère se mit à la faire manger à la cuiller. Elle raconta à l'aubergiste apitoyée que la petite était dans cet état depuis la nuit où, réveillée par le vacarme, elle avait assisté à l'arrestation de son père.

— Je suis allée voir un médecin à Grenoble. Il m'a assuré que son état redeviendrait normal. En Suisse, il y a de grands spécialistes qui me guériront certainement ma douce Rachel, conclut-elle avec un soupir.

M. Letellier me dit d'une voix navrée :

— Bon Dieu de bon Dieu, et c'est en France que ces choses-là arrivent !

Sur ces entrefaites, un campagnard entra dans la salle. La mère se leva, suivie du garçon, ramassa le mince colis, prit par la main l'enfant démente, nous fit un signe d'adieu.

Le groupe tragique disparut derrière l'homme en route vers le salut... ou la déportation.

Nous restâmes silencieux, chacun plongé dans ses pensées.

Notre passeur tardait à venir. À deux heures, notre jeune guide devint nerveux. Il s'en fut consulter la patronne et revint peu rassuré.

Enfin l'aubergiste, partie aux renseignements, rentra pour annoncer que M. Charles était introuvable au village.

— Pourvu qu'il ne lui soit rien arrivé. Il est toujours de parole et exact à la minute, soupira-t-elle. Enfin, il y a encore Julot, celui-là est ici. Voulez-vous lui parler ?

— Julot? Julot? répondit le jeune guide. C'est contrariant. J'ai l'ordre de me mettre en rapport avec Charles. Je ne sais que faire. Téléphoner? C'est impossible. Ramener mon petit monde à Grenoble, c'est plus dangereux encore. Pas moyen de reculer! Envoyez-moi Julot. Je dois d'ailleurs le connaître, mais ce n'est pas Charles! Celui-là, c'est un as. Me voilà dans un beau pétrin!

Il était désolé. Notre inquiétude allait grandissante, on peut se l'imaginer.

Un quart d'heure plus tard, un homme pénétra dans la salle. Son seul aspect m'inspira la plus violente antipathie. Débraillé, la figure et les mains sales, il avait le verbe haut et s'exprimait grossièrement.

— Si l'on ne veut pas de moi, qu'on se conduise soi-même. C'est toujours Charles, trois fois Charles. Que l'on prenne Charles! Je suis fatigué de ce métier de potence! J'aime autant aller rigoler au village.

Notre guide l'entraîna dans une chambre voisine. Ils parlementèrent un bon moment. Lorsqu'ils revinrent, Julot nous tint ce langage :

— Il faut se mettre en route tout de suite. Nous sommes en hiver, le soleil disparaît vite. Écoutez-moi bien : j'irai devant, tantôt à pied, tantôt à bicyclette. Vous me suivrez, à bonne distance, bien entendu. Si je m'arrête, vous approchez. Si je m'assieds sur le talus, ou m'accroupis, c'est qu'il y a danger. Vous entrez alors sans hâte dans le bois. Compris? Si la rousse vous accoste et vous demande vos papiers, vous les présentez, naturellement, sans hésiter, poliment. Si ça colle, vous continuez votre chemin et vous me retrouvez à quelques centaines de mètres plus loin, derrière un arbre. Mais si vos papiers ne plaisent pas à ces bougres et qu'ils vous emmènent, moi, ni vu ni connu! Vous ne dites pas que l'on vous conduit, ni qui, ni où. Vous ne me connaissez pas! Mon arrestation ne vous servirait à rien et ce serait une perte pour vos copains qui arrivent tous les jours et que nous sauvons. Un passeur, ça compte par les jours d'à présent! Est-ce d'accord, messieurs-dames?

— D'accord, répondîmes-nous.

Je n'étais pas le moins du monde convaincue de la réussite de cette expédition sous une telle conduite. Chose étrange, malgré la conscience pénétrante de l'erreur grave que nous étions en train de commettre en nous confiant à cet homme, je laissai faire! J'entendais M. Letellier dire à Julot que je lui remettrais les papiers d'identité, qu'il aurait ensuite à les lui restituer, car il attendrait à l'auberge le résultat de l'entreprise.

Je me suis souvent demandé depuis *pourquoi* j'avais consenti à suivre ce passeur qui m'inspirait tant d'aversion et de méfiance. Je crois que c'était par le désir, plus fort que tout, d'en finir, de ne plus penser, de ne plus chercher, d'en passer par là. J'étais comme le noyé qui renonce à la lutte et s'abandonne aux éléments.

Les jeunes gens se chargèrent de leur sac tyrolien, sacoche et couverture. Je ramassai machinalement mon baluchon.

★

« On démarre, on démarre », nous pressait Julot. Je remerciai chaleureusement mon compagnon de Nice pour tout ce qu'il avait tenté pour moi. Je pris congé de lui en me sentant effectivement dans un état de demi-conscience, absente.

— On démarre, insistait Julot.

Au moment de passer devant lui, je fus frappée par son haleine qui sentait fortement l'alcool. Il avait dû boire copieusement. Cette constatation, encore, me laissa indifférente. C'était trop tard, tout était trop tard. C'est le sort aveugle qui devait décider du reste.

Nous nous engageâmes sur la route. Le soleil était pâle, le paysage tout blanc, la neige ferme sous nos pieds. Pendant cinq kilomètres nous suivîmes Julot, les jeunes gens et moi, avec un écart d'une centaine de mètres. Arrivé à proximité d'un groupe de maisons, il s'arrêta et nous attendit.

— Si j'arrosais les cinq kilomètres? dit-il d'un ton engageant.

Je lui passai un billet et il pénétra dans l'estaminet. Nous continuâmes d'avancer en ralentissant notre allure. Bientôt Julot nous rattrapa.

Nous reprîmes d'un train plus rapide. Au bout d'une heure, mes compagnons avaient une sérieuse avance sur moi. Je les rejoignis au carrefour d'une route. Julot m'attendait pour nous donner de nouvelles instructions. Je les priai de ne pas trop s'éloigner afin que je ne les perdisse pas de vue. Une jeune fille répliqua :

— Chacun marche comme il peut. Ce n'est pas une promenade.

L'autre corrigea :

— Voyons, Suzy, il faut ménager madame. Elle n'a plus notre âge.

Pendant un bon moment, tous cheminèrent moins rapidement. Mais une demi-heure plus tard, mes jeunes compagnons étaient loin, hors de vue. Je continuai à suivre la route, puis, à un nouveau tournant, j'aperçus Julot, appuyé sur son vélo, entouré des jeunes gens. Il annonça :

— Nous allons arriver maintenant à un tunnel. Nous le franchissons. Ensuite il y a un viaduc. On le suit et c'est de nouveau la route.

S'adressant à moi, il ajouta :

— Quand nous quitterons le viaduc, avant d'entrer dans le village, je m'arrêterai. Ce sera le moment de me passer vos papiers que je dois remettre au monsieur de l'auberge... Quant au village, vous le traversez carrément. Vous êtes des touristes et ça se rencontre souvent par ici, des touristes. Le village dépassé, vous arrivez à une voie ferrée. Vous faites halte près du passage à niveau et alors vous y êtes ! Je vous indiquerai l'endroit par où vous filez en Suisse ! Tout le monde a bien compris ?

— Compris, répondirent quatre voix.

Cinq cents mètres plus loin, nous pénétrâmes dans le tunnel. Bientôt, une complète obscurité nous entoura. Par bonheur, nous avions suivi le conseil de l'organisation en nous munissant de lampes de poche.

Il est difficile d'imaginer ce qu'était cette marche dans les ténèbres !

Les pierres du ballast croulaient sous nos pas. Julot nous précédait, portant sa bicyclette sur l'épaule, s'efforçant de garder l'équilibre. Les jeunes gens me devançaient maintenant de quelques mètres à peine. Nous trébuchions continuellement. Une jeune fille perdit un talon de chaussure et s'arrêta pour arracher l'autre de force. J'avançais avec des difficultés croissantes. Je tombai à plus d'une reprise.

Une faible lumière grandit au loin. Nous atteignions la sortie. Nous nous arrêtâmes pour reprendre haleine et regardâmes autour de nous.

En bas, dans une vallée, une ville.

— Genève, nous souffla Julot.

Et il s'engagea sur le viaduc en poussant le vélo.

Nous le suivîmes. Des traverses manquaient çà et là. Le viaduc n'était visiblement pas à l'usage des piétons. Au-dessous s'étendait le lit d'une rivière à sec, rempli de pierres et de rocs. Prise de vertige, je m'efforçais de ne plus regarder l'abîme. Je me mis à compter les traverses pour fixer mon attention. À force de volonté, je parvins enfin à ne voir qu'elles.

De nouveau, nous mîmes le pied sur la terre ferme. Comme libérés d'une entrave, les jeunes gens s'engagèrent sur la route avec une énergie redoublée. J'étais tout simplement exténuée, à bout de forces.

Le ciel commençait à s'assombrir. Le jour déclinait.

Julot s'arrêta.

— Vos papiers, dit-il.

Je les lui donnai. Il les déposa dans un tronc d'arbre qu'il semblait utiliser habituellement comme cachette, car il en sortit un paquet de cigarettes et une enveloppe.

Nous repartîmes.

J'avais les pieds à tel point gonflés que je ne pouvais plus suivre mes compagnons. Je m'assis sur le talus pour enlever mes chaussures qui me serraient douloureusement. Voyant

cependant que tous s'éloignaient rapidement, je me levai
et me remis en marche avec mes seuls bas sur un sol dur et
blanc de givre. Fort heureusement, j'avais trouvé et acheté
à Grenoble des bas d'une laine particulièrement épaisse,
mais je crois que, s'il l'eût fallu, j'aurais même cheminé
pieds nus. Sans souliers, je pus améliorer mon allure.

Une brume légère descendait sur la campagne.

D'innombrables lumières scintillaient à Genève, qui
semblait se rapprocher de plus en plus. Mais autour de
moi il faisait noir. À la lueur tamisée de ma lampe, je
marchais comme dans un rêve, l'âme vague, gonflée de
fatigue, l'esprit absent. Je suivais mon chemin d'après les
indications de Julot : j'arrivai au village, contournai la fontaine et me trouvai devant le passage à niveau.

Silence. Personne !

Mes compagnons avaient disparu. Ils semblaient s'être
dissipés...

Je m'arrêtai, ne sachant plus dans quelle direction
continuer. Je grelottais. Je profitai de ce nouvel arrêt pour
remettre mes chaussures. Je me trouvais certainement à
l'endroit d'où Julot devait nous indiquer le passage dès
que nous aurions traversé les rails. Mais je ne pouvais plus
rien distinguer, tant la brume était opaque.

Un instant, la pensée m'effleura de retourner sur mes
pas, de reprendre les deux cartes et de revenir vers l'auberge ; mais en même temps, je sentais que je n'y parvien-
drais jamais.

Ma fatigue physique était telle que j'éprouvais une
indifférence proche de l'anéantissement. Subitement, je
m'assoupis.

Je me réveillai par un effort inconscient. Ce court répit m'avait rendu un peu de mon énergie. Habituée maintenant à l'obscurité, je distinguai vaguement une route qui tournait à gauche. Devant moi, à trois pas, un ravin le long duquel se dressaient les ombres des arbres. Je ne pouvais continuer plus loin mon inspection. J'eus l'idée d'explorer ce ravin pour voir où il aboutissait.

Dès que ce projet eut germé dans mon esprit, ce lieu exerça sur moi un étrange attrait, une mystérieuse fascination. J'avançais à tâtons... lorsque, subitement, une vive lumière me frappa en plein visage et m'éblouit. Fermant instinctivement les yeux, j'entendis une voix gouailleuse m'interpeller :

— Que faites-vous là, en pleine nuit ?

C'était un douanier.

— Vous cherchez vos compagnons qui vous ont devancée ? continua l'homme. Venez, ils vous attendent.

Il me prit par le bras.

Nous fîmes tout au plus une cinquantaine de pas pour arriver au bureau de la douane. À la lumière des lanternes, je vis la barrière mobile. De l'autre côté, à quelques mètres... la Suisse.

X

À LA FRONTIÈRE

Nous entrâmes dans une grande pièce pleine de monde où se trouvaient deux douaniers, plusieurs gendarmes et un soldat allemand. Le douanier qui m'avait arrêtée annonça d'un ton jovial :

— J'en ajoute encore une au dernier lot ! Elle fait partie de l'équipe au passeur éclipsé.

Il se frottait allègrement les mains auprès du poêle et paraissait fort satisfait de son « devoir accompli ».

Je fus introduite dans une pièce voisine où deux gendarmes étaient assis à une table chargée de paperasses. Une machine à écrire y trônait avec une feuille blanche toute prête. Sur les bancs, le long du mur, je revis mes compagnons effondrés.

Ce qui se passa dès lors, pendant plusieurs heures, m'apparaît aujourd'hui comme un mauvais rêve. Sur des bancs, deux jeunes filles en larmes, un garçonnet hébété et une femme épuisée de fatigue et de froid, tous en souliers déchirés, les vêtements et les cheveux en désordre, l'expression hagarde, forment un groupe lamentable. Deux solides gaillards, en uniformes français, interrogent à n'en plus finir : « Nom? Prénoms? Origine? Race? Religion? Nationalité? Condamnations antérieures? Papiers? Motifs du déplacement? »

Ces hommes posent ces questions d'un ton sévère, plein de suffisance, semblant réellement attendre une réponse qu'ils connaissent pourtant pour l'avoir entendue mille fois depuis des mois!

— Fuite devant le danger d'incarcération en Allemagne, répond une jeune fille dont les cheveux frisés encadrent un joli minois, tout en larmes.

— Fuite devant le camp de concentration, explique l'autre petite, pas belle, mais au regard intelligent.

— Fuite pour rejoindre maman, qui est déjà en Suisse, dit simplement le garçonnet.

— Fuite devant le danger de déportation, dis-je à mon tour.

Appliqués, affairés, les deux gendarmes enregistrent nos déclarations. Cliquetis des machines à écrire. Demandes complémentaires, réponses interminables.

Cela dura deux longues heures, puis les hommes se lassèrent. Ouvrant une porte, l'un d'eux cria :

— Qu'on les fouille et qu'on en finisse. L'heure de la croûte est déjà passée! On en a soupé de toutes ces histoires!

Une femme de trente ans, au visage jovial, entra. Les gendarmes se retirèrent, emmenant le garçon.

Après nous avoir ordonné de nous dévêtir, la femme se mit à examiner nos vêtements d'abord. Elle palpa méticuleusement les coutures et les endroits épais de nos robes et manteaux, fouilla les poches; puis elle nous passa la main dans les cheveux et nous fit lever les bras.

— Allons, avouez! Vous avez des bijoux, de l'or, des pierres fines et des devises!

En même temps elle me souffla complaisamment à l'oreille :

— La mère Marie n'est pas méchante. Elle vous rendra tout ça à votre retour.

Je songeai : « Retour d'où? »

— On va vous apporter une soupe chaude. Vous devez en avoir besoin. Allez, grouillez-vous! Déclarez vos valeurs, vos bijoux. Allons, avouez!

Elle finit par prélever un médaillon à l'une, une bague, des boucles d'oreilles ainsi qu'un bracelet-montre de vingt-cinq francs à l'autre. Elle m'enleva mes deux bagues et remit le tout à deux gendarmes qui entraient. C'était la relève.

— Vous n'avez plus qu'à continuer par la liste des bijoux trouvés et le contenu des colis. Le procès-verbal d'arrestation est déjà dressé : elles ont voulu f... le camp en Suisse sans autorisation. Il y en a même une qui a un visa suisse. Le bagage est maigre. Il n'y aura pas beaucoup à faire.

Les nouveaux gendarmes se mirent à explorer nos « bagages » en déposant le contenu bien en évidence sur une table.

À côté des humbles bijoux prélevés sur nous, nos sacs et nos porte-monnaie furent vidés. De menus objets s'alignèrent : des billets de banque, de la monnaie, quelques pièces de linge, des robes, des peignes, des brosses où la moitié des crins manquaient, un livre, un miroir cassé, des mouchoirs et des photos de parents et d'amis, photos emportées après de longues hésitations, dans la crainte de compromettre quelqu'un.

Parfois, l'un des gendarmes s'arrêtait pour demander la signification d'un document, d'une lettre, ou l'usage d'un objet. L'un dictait, l'autre tapait à la machine : « Une broche... – Une broche. – Soixante francs trente. – Soixante francs trente. – Une paire de ciseaux. – Une paire de ciseaux. – Dix timbres à cinquante centimes. – Dix timbres à cinquante centimes. – Des boucles d'oreilles, un peigne en argent. – Des boucles d'oreilles, un peigne en argent. – Trois cents francs, deux bagues, du linge, une robe... »

Litanie monotone et lamentable. Assise sur le banc, la tête appuyée contre le mur, je m'assoupis.

— Eh! là-bas! fus-je interpellée subitement.

Je me réveillai en sursaut.

— Qu'est-ce que c'est que cette bricole-là?

Il s'agissait d'une vieille pièce de monnaie que Mme Lucienne m'avait donnée lors de nos adieux en me disant que c'était un porte-bonheur. Je fournis l'explication demandée.

— Une pièce, sorte de porte-bonheur, dicta-t-il alors.

— Une pièce, sorte de porte-bonheur, répéta l'autre.

Et la machine à écrire de continuer son cliquetis : tip... tip... tip...

La seconde équipe de gendarmes, à force de zèle, commençait, elle aussi, à perdre patience. L'un des hommes téléphona à la caserne voisine pour demander des instructions à notre sujet. Ils palabrèrent longtemps et l'on entendit entre autres : « Depuis que ça dure, c'est toujours la même chose. Alors, envoyez Marcel avec le sergent Camus. On les conduit!!! »

Ils allumèrent des cigarettes et cessèrent leur activité.

La pièce était pleine de fumée. Leur « devoir civique » terminé, leur attitude envers nous se modifia.

Entre-temps, le dîner promis par la « mère Marie » fut apporté dans un panier : de la soupe, des légumes, du pain. Un officier survint, suivi de deux gardes mobiles, Marcel et le sergent Camus. Il pouvait avoir une cinquantaine d'années. Sa figure était noble et intelligente. Je l'observai, tandis que les deux gendarmes, qui avaient terminé le procès-verbal et dressé la liste de nos biens, lui exposaient notre cas.

L'officier écoutait ce rapport avec une gêne visible.

— C'est bien, c'est bien, dit-il. Ont-elles eu à manger ? Aérez donc la pièce, elle empeste le tabac. Il est trop tard pour les transférer ! Ces femmes ne tiennent plus debout. Donnez-leur des bûches pour la nuit.

Il sortit sans se retourner, le dos voûté, l'allure très peu martiale.

Notre transfert était donc ajourné. Un gendarme mit du bois dans le poêle et déposa plusieurs bûches en prévision de la nuit. Il apporta une cruche d'eau.

Les jeunes filles demandèrent l'autorisation de prendre l'air, ce qui leur fut encore accordé. Un garde les accompagna.

— Pas de bêtises, dit-il, sinon...

Et il montra, en riant, son revolver attaché à son ceinturon.

Son collègue me permit de me mettre sur le pas de la porte. Il resta à côté à fumer sa cigarette.

Devant moi, tout près, des fils de fer barbelés, et là,

tragiquement près, dans le clignotement de ses lumières, Genève, le salut. Un regret de mon enfance me reprit : que n'avais-je des ailes !

Nous rentrâmes pour nous installer sur nos bancs.

Par phrases entrecoupées, les jeunes filles se racontèrent qu'après avoir suivi le guide jusqu'au passage à niveau, leur groupe s'était tout à coup trouvé face à face avec deux gendarmes et qu'elles eurent juste le temps de voir Julot fuir à toute vitesse.

Nous cherchâmes à nous concentrer sur notre situation. Mais tout ce que nous pouvions nous dire était tellement inutile et lugubre que nous finîmes par nous taire. Le garçon, ramené après notre fouille, dormait depuis le dîner.

La fatigue bientôt eut raison des deux jeunes filles : elles s'assoupirent à leur tour. Leur sommeil était coupé de sanglots. Le garçon appela : « Maman ! » et, de nouveau, les respirations régulières reprirent, scandées par les pas de la sentinelle allemande devant la douane.

Je tâchais de mettre un peu d'ordre dans mes pensées et d'examiner encore quelle ultime tentative pourrait me sauver. L'avenir me parut sans issue.

Les yeux fixés sur les barreaux de la fenêtre, j'écoutais la plainte sourde du vent.

Lorsque le jour, avare de lumière, commença à poindre, plongée dans mes tristes méditations, je veillais encore.

*

À huit heures du matin, les deux gendarmes de la première équipe reparurent. C'était dimanche, ils étaient

d'excellente humeur. Ils avaient l'air de nous dire :
« Maintenant que nous en avons fini avec les ennuis que
vous nous causez, nous n'avons plus rien contre vous. »

Ils ne se rendaient certes pas compte de la fatigue et
des souffrances qu'ils venaient de nous infliger lors de
leurs interminables interrogatoires, sans égard pour notre
détresse.

Quant au malheur que cette arrestation signifiait pour
nous, ils ne paraissaient pas en avoir une notion précise.
S'adressant gaiement à l'une des jeunes filles, l'un disait :

— Enfin, mademoiselle, ce n'est pas une catastrophe
d'aller en Allemagne pour y travailler! Ils payent bien et
l'on y mange mieux que chez nous.

Voyant ma dépression, un autre me dit :

— Voyons, on ne vous contraindra pas à un travail trop
pénible. Vous n'avez plus vingt ans! Alors, ne faites pas
cette mine d'enterrement. Allons, allons!

— Comme ils ont peur du travail, tous ces gens que
nous arrêtons depuis des semaines, reprit le premier;
croyez-vous qu'en Suisse l'on mange sans travailler?

La jeune fille à l'air intelligent tenta de lui expliquer
que, dans notre cas, l'angoissant problème n'était pas de
travailler, mais de survivre : le Chancelier avait fait serment d'exterminer tout bonnement la race juive.

Je demandai si l'un d'eux n'avait pas été dans un camp
de concentration réservé aux réfugiés de race juive. Un
gendarme raconta qu'il avait, en effet, accompagné un
convoi de cent fugitifs et qu'à cette occasion, il avait dû
rester quelques heures à Gurs.

— Et qu'avez-vous vu? demanda la jeune fille.

— Pour ça, j'en ai vu, répliqua-t-il. C'est lamentable ce qui se passe là! Les gens y claquent comme des mouches; vieillards, femmes et enfants. Oui, pour ça, d'accord! C'est terrible, mais ils ont dû commettre des crimes ou des fraudes en Allemagne. Il paraît qu'ils ont mis le pays sens dessus dessous avant la guerre de 14 et qu'après 18, ils ont ruiné l'Allemagne en transportant toutes les richesses, tout l'or, toutes les devises dans leur Palestine, dans les deux Amériques et pas mal en Suisse. Alors, vous comprenez! Ils payent maintenant. C'est un « gauleiter » qui me l'a « espliqué » (il disait « espliqué »). Et les Boches qui viennent par ici l'« espliquent » eux aussi. On ne les aime pas, les Allemands, c'est entendu, car qu'est-ce qu'ils viennent f... chez nous, mais enfin, pour les juifs, ceux-là, ils leur en ont fait voir de leur côté aussi. Alors, vous comprenez? Nous, nous faisons notre service, ça vient de Vichy, de notre gouvernement, ces ordres-là, conclut-il avec conviction.

Le troisième, qui avait écouté cette pertinente explication, ajouta :

— Moi, je n'avais jamais vu de juifs avant. C'est des gens comme les autres. Mais ceux qui passent par ici veulent traverser la frontière sans même demander un visa! Alors on les refoule d'où ils viennent. Et ils rappliquent encore. Ils sont entêtés comme des bourriques. Alors on les arrête et on les mène en prison. Cela nous donne depuis des mois assez de tracas. On n'avait jamais tant à faire par ici. Vous comprenez, les juifs, on s'en fiche... mais qu'ils restent où ils sont. Avec leur manie de venir à la frontière, ils mobilisent la gendarmerie nuit et jour. Sans rancune, mesdames, ce n'est pas rapport à vous.

Tant d'ignorance frisait l'inconscience. Je ne tentai même pas de leur exposer les faits. C'eût d'ailleurs été peine perdue. « Ainsi, ces hommes continueront à appréhender des centaines de fugitifs, songeais-je, sans jamais comprendre à quelle œuvre ils se prêtent, à moins qu'ils ne veuillent se donner à eux-mêmes un alibi moral en tranquillisant leur conscience. »

Un gendarme qui ne s'était pas mêlé jusque-là à la conversation avait l'air de mieux connaître le problème, car il dit sentencieusement :

— Taisez-vous, ne savez-vous pas que nous courons le risque d'être renvoyés sur-le-champ et pis encore s'ils nous entendaient discuter leurs décisions ?

Et il fit de la tête un signe dans la direction de la sentinelle allemande qui, dehors, exécutait elle aussi « un ordre » en piétinant le sol français.

À dix heures, le garçonnet fut emmené pour être réexpédié dans la Creuse, d'où il était venu. Un peu plus tard, une voiture stoppa devant la douane. Des gendarmes nous « invitèrent » à prendre nos bagages et à y monter. Nous refîmes ainsi en auto le trajet que nous avions fait la veille à pied sous la désastreuse conduite de Julot.

En passant près du ravin, qui avait la veille exercé sur moi cette singulière attirance et dans lequel je m'étais apprêtée à descendre un instant avant mon arrestation, je vis à la lumière du jour que les fils de fer barbelés étaient en ce lieu relâchés. L'un était endommagé, probablement par une récente évasion. Je m'étais trouvée à deux pas à peine d'un passage franchissable ! J'aurais pu glisser sans trop grande difficulté entre les fils de fer écartés. Cette constatation me plongea dans un morne désespoir...

★

Nous arrivâmes à la gendarmerie de Saint-Julien, où les policiers, après avoir communiqué nos noms et remis nos dossiers à leurs collègues, nous laissèrent sous leur garde.

Nous fûmes conduites dans un cachot provisoire dont la porte était munie d'une petite lucarne. C'était un ancien garage, partagé en deux parties. La première, près de l'entrée, représentait une sorte d'antichambre. La deuxième était divisée à son tour en deux cellules d'égales dimensions, que l'on fermait chacune séparément du dehors. Ce jour-là, les deux cellules se trouvaient vides. Dans le couloir, un récipient en tôle exhalait une odeur pestilentielle. À côté, sur une pierre, une cruche à eau.

Chaque cellule était dotée d'un grabat, de paillasses bourrées de paille réduite en poussière, avec des couvertures militaires roulées en guise de polochon.

Une jeune fille accompagnée d'un gendarme nous apporta à midi nos repas, et pendant qu'elle attendait pour remporter panier et vaisselle, nous restâmes toutes trois debout, n'osant nous installer pour manger sur le grabat dégoûtant.

Ayant terminé, nous demandâmes l'autorisation de secouer dans la cour nos couvertures et de balayer notre geôle.

L'homme nous répondit que c'était dimanche. Mais la

jeune fille, qui nous avait regardées manger avec apitoiement, intervint en notre faveur.

Aussi, tandis que le gendarme bavardait avec elle, nous nous mîmes en hâte à l'ouvrage.

Sous la même surveillance, nous fûmes autorisées à nous laver au fond d'un long corridor où coulait une fontaine. Enfermées à nouveau, nous osâmes alors nous asseoir sur les couchettes.

Je suppliai notre gardien de m'accorder la grâce de faire quelques pas au dehors. Souffrante et fiévreuse, je ne pouvais plus respirer. Les jeunes filles me suivirent dans la cour. Après avoir fait plusieurs rondes, sous les regards apitoyés ou indifférents des locataires à leurs fenêtres, nous fûmes ramenées dans notre cachot, que le gendarme ferma à double tour.

Nous restâmes dans l'obscurité, très lasses; le froid nous mordait. Nous finîmes par nous coucher sur l'immonde grabat. Un peu plus tard, la porte s'ouvrit et le gendarme reparut à la lueur d'une lanterne. Il s'approcha de nous et me tendit un paquet enveloppé de journaux.

— C'est une brique chaude, dit-il.

Le paquet était brûlant. Touchées de son attention, nous le remerciâmes et nous nous serrâmes les unes contre les autres pour nous communiquer un peu de notre chaleur.

Brisée de fatigue et d'émotion, je dormis d'un sommeil de plomb. Lorsque je me réveillai, une lumière couleur de cendre pénétrait par la lucarne. À mes pieds, la brique bienfaisante était froide.

La porte s'ouvrit avec fracas et on appela nos noms. On

nous conduisit vers un camion où l'on nous fit monter. Nous reçûmes notre ration de pain pour la route.

La voiture était bondée de fugitifs arrêtés dans diverses localités de la frontière et transférés comme nous à Annecy.

XI

ANNECY

Après plusieurs heures d'un voyage à travers les montagnes grandioses dans leur décor hivernal, l'autocar arriva dans une ville, traversa plusieurs rues et s'arrêta devant de hautes murailles. Un gendarme sonna à un grand portail de fer, une serrure grinça, une grille s'ouvrit et nous pénétrâmes dans une cour de la maison d'arrêt.

Nous étions en prison.

On nous fit nous ranger dans un long couloir menant du porche vers plusieurs bureaux. Le vent glacial le balayait en tous sens entre les portes ouvertes. Nous fûmes introduits, les uns après les autres, devant un fonctionnaire qui établit nos mandats d'arrêt, nous fit remplir et signer un questionnaire. Un autre fonctionnaire prit nos empreintes, procéda aux mensurations d'usage, nous fit passer sous la toise. Nous restions là, apathiques, tenant écartés nos doigts noircis d'encre, attendant sans impatience la fin de ces formalités.

Les détenus hommes furent ensuite conduits vers le fond d'une grande cour où se trouvait leur section : ils étaient au nombre de vingt-huit. Nous étions onze femmes, dont l'une avec deux petits enfants. On la transféra aussitôt à l'infirmerie. Une autre avait un garçon de six ans qui fut confié à un orphelinat. Le petit partit sans mot dire. Il était à bout de forces, comme les grands.

Sur l'ordre du fonctionnaire, nous suivîmes une matrone qui nous mena vers une autre salle, également glaciale. Là, elle nous fouilla méticuleusement, nous enleva ciseaux, aiguilles, lacets, me confisqua une bouteille de sirop contre la toux. Elle ne savait pas au juste, disait-elle, quel en était le contenu. Les bagages une fois déposés au magasin, la gardienne se dirigea vers une porte close, munie d'un judas et portant l'inscription : *Atelier*, derrière laquelle se faisait entendre un grand bourdonnement de voix. Elle ouvrit et nous fit signe d'entrer. Les voix se turent et j'aperçus d'abord, comme dans un cauchemar, des figures pâles de femmes tournées vers nous.

Je restai un moment près de l'entrée, adossée au mur. Ma tête était lourde et vide à la fois. J'examinai la salle. Deux fenêtres grillées éclairaient des murs blancs. Des bancs et trois grandes tables meublaient la pièce. En face de la porte, une autre, moins grande, portait l'inscription, faite au crayon : *Cabinets*.

Dès que la geôlière eut disparu, les prisonnières se levèrent de partout, nous entourèrent et nous assaillirent de questions. Quelles étaient les nouvelles de la guerre ? Les persécutions avaient-elles augmenté ou diminué d'intensité ? D'où venions-nous ? Comment s'était opérée notre arrestation ? Dans quelle localité avait-elle eu lieu ? Et ainsi de suite...

L'heure du déjeuner était depuis longtemps passée ; par

suite de notre voyage et des formalités du greffe, nous l'avions tout simplement « sauté »; les prisonnières réunirent quelques provisions pour nous.

Je m'assis sur un banc; j'écoutais les récits de fuites et d'arrestations tout en répondant tant bien que mal aux mille questions que l'angoisse inspirait à mes compagnes. Toutes les pensées, dans cette salle, tournaient autour de ces quatre problèmes : guerre, fuite, arrestation, déportation. Ce dernier mot se prononçait d'une façon spéciale, en baissant un peu la voix avec un frémissement contenu et une expression d'horreur.

À six heures, la porte s'ouvrit et l'on déposa sur les tables les récipients en fonte contenant une soupe de légumes, de pommes de terre et de nouilles.

— Les nouvelles! appela la geôlière.

Nous présentant à elle, nous reçûmes chacune un gobelet et une cuiller. Couteau et fourchette, instruments possibles de suicide, étaient proscrits.

Une demi-heure plus tard, ce fut la distribution des lettres et des cartes censurées, suivie de celle des colis au contenu contrôlé.

Les proches de la plupart des captives étaient déjà déportés, aussi les colis constituaient-ils une aubaine de privilégiées. Les bénéficiaires le comprenaient et elles partageaient les offrandes.

À sept heures, la geôlière reparut pour appeler :

— Tout le monde aux dortoirs!

Puis :

— Les nouvelles!

Nous reçûmes d'elle un drap et une serviette de couleur

gris foncé. La lessive étant impossible, faute de savon, la prison faisait tout simplement bouillir le linge.

Je suivis la cohue de mes compagnes d'infortune.

— Venez voir, me dit l'une d'elles, pour que vous soyez au courant lorsque votre tour viendra.

Dans le couloir se trouvaient des récipients de tôle galvanisée. Nous les emportions aux dortoirs. Nous nous munissions de même d'un gobelet rempli d'eau pour la nuit. Il me fallut plusieurs jours d'exercice pour acquérir l'adresse suffisante à ces transports compliqués.

Les grands dortoirs comptaient de vingt à trente paillasses ; les petits trois ou quatre... Je fus installée dans l'un de ces derniers que je partageai avec deux détenues. Nous nous présentâmes.

L'une de mes voisines était la mère d'un chanteur célèbre en Amérique. Son mari se trouvait incarcéré à la section des hommes. Le couple avait le droit d'échanger deux lettres par semaine, et cette pauvre femme ne vivait que de ces bouts de papier, qualifiés de lettres, qu'elle devait rédiger en français et qu'elle recevait dans la même langue. Ce n'était pas chose facile, car le couple était hollandais et connaissait à peine le français. Nous l'aidions tant bien que mal dans sa correspondance.

L'autre dame, une Allemande, énergique et fort jolie, était la femme d'un fabricant autrefois millionnaire, qui avait réussi en 1935 à faire sortir d'Allemagne une partie de sa fortune. Le ménage s'était installé dans les environs de Lyon. Les connaissances professionnelles du mari avaient vite valu à l'entreprise une petite mais sûre clientèle française. En 1940, la loi visant les juifs allemands, accusés d'être membres de la cinquième colonne nazie en France, les mena, avec leurs deux filles, dans un camp de concentration. Après des mois d'efforts, et grâce à l'intervention à Vichy d'un avocat lyonnais fort réputé, toute la famille avait été libérée.

À l'arrivée des Allemands à Lyon, devant le danger imminent de déportation, ils avaient dû fuir vers la frontière helvétique, d'où ils avaient été refoulés vers la maison d'arrêt d'Annecy.

Bien que ces deux couples eussent disposé de passeurs « de première classe », le même sort que le mien les avait amenés en prison.

Ces deux fugitives s'étaient mises en route en manteaux de fourrure, en robes élégantes avec quelques bijoux et de petites valises contenant du linge. Elles ne voulaient pas arriver en Suisse en loques, car le succès de leur tentative leur paraissait alors certain.

J'avais employé le procédé inverse avec le même résultat.

Quel spectacle étrange que ces deux dames, soignées et élégantes, assises sur leur petit lit de fer, dans cette geôle froide et nue !

Mes deux compagnes m'apprirent que nous nous trouvions en détention préventive. Nous aurions à subir un procès en règle. De son issue dépendait notre libération ou le transfert dans un des camps de France, où nous attendait probablement la déportation. En principe, les gens de moins de soixante ans, ayant commis le délit de se déplacer sans autorisation avec de faux papiers, étaient internés. Il me fallait d'urgence me procurer un bon avocat. Elles en étaient déjà munies.

Je passai une nuit inquiète, tourmentée, à réfléchir à toutes ces nécessités. Je toussais, à ma confusion, sans arrêt. Le dortoir n'était, naturellement, pas chauffé et j'avais pris froid lorsque, sans chaussures, je marchais vers la Suisse.

★

À six heures du matin, nous faisions notre « lit », la geôlière ouvrant nos portes à six heures trente pour nous conduire au fameux « atelier ».

Là, par deux, nous nous lavions à l'évier, au-dessus duquel coulaient deux robinets. Le froid était cinglant, mais une fois lavées, nous pouvions remettre nos manteaux et nos gants et nous arrivions tant bien que mal à nous réchauffer. Dans ce but, les femmes d'origine allemande faisaient de la gymnastique.

Suivie de deux prisonnières qui purgeaient des peines de deux et trois ans, la geôlière reparaissait en proclamant :

— De ce coup-ci, c'est le café.

Nous nous mettions sur une file, gobelets en main, et pendant qu'une des détenues nous distribuait la ration journalière de pain, l'autre nous dispensait un breuvage. Puis nous restions dans cette même salle, à écrire, à lire et à envisager l'avenir, entassées les unes sur les autres. Une vitre cassée nous servait de vasistas ouvert.

Une fois par semaine, sur les dix heures, la geôlière annonçait :

— De ce coup-ci, mesdames, c'est les achats !

Nous pouvions alors nous inscrire sur une liste et

indiquer ceux des menus objets autorisés que nous voulions faire venir : papier à lettres, encre, porte-plumes et plumes (qui avaient la particularité de perdre leur pointe au premier usage), savon fait de sable et de glaise et des « sucrettes », bonbons noirs en sucre de raisin, probablement admis pour adoucir l'amertume de nos jours. Nous en faisions en effet, une forte consommation.

Personne ici ne disposait de tickets. Les cartes d'alimentation trouvées sur les fugitifs étaient toutes confisquées, les unes appartenant à des Français, les autres étant fausses. Des amis, avisés de l'arrestation, en envoyaient souvent aux détenus. La population et les œuvres françaises également en apportaient à notre intention à la direction de la prison.

L'« atelier » n'avait d'atelier que le nom. Il était impossible d'y travailler pour la simple raison qu'aiguilles et ciseaux y étaient interdits. L'on y usait le temps dans une oisiveté coupée parfois de disputes violentes, car, outre les trente-cinq malfaitrices de notre espèce «qui avaient voulu f... le camp sans autorisation », notre compagnie comprenait deux voleuses professionnelles, condamnées à trois reprises, une receleuse, une complice d'un fabricant de faux tickets et une fille de mœurs légères qui avait profité de sa « visite » dans un hôtel pour y dérober des vêtements.

L'harmonie était loin de régner entre ces femmes qui se jetaient à la face les insultes les plus pittoresques. C'était « le milieu » par excellence. Je croyais vivre un roman de Carco...

Parmi les fugitives se trouvaient une doctoresse alsacienne, une pianiste polonaise, deux étudiantes belges, la

femme d'un rabbin d'Anvers, celle d'un diamantaire de la
même ville, cinq Polonaises avec leurs enfants, une Russe
de Bakou, une Hollandaise et de nombreuses Allemandes
et Autrichiennes.

Jeunes ou âgées, belles ou laides, fraîches ou fanées,
jeunes filles ou mères de famille, toutes avaient fui la
déportation.

Une jeune Française, passeuse bénévole, qui avait
acheminé des fugitifs vers la frontière, avait été arrêtée et
incarcérée avec eux. Bonne et patiente, elle était la consolation des faibles. Son influence bienfaisante s'exerçait sur
toutes les détenues qui lui demandaient maints conseils et
quantité de renseignements.

Mlle Adrienne était la seule parmi nous qui se montrât
toujours également paisible.

Lorsque notre geôlière, que nous devions appeler « la
patronne », vint un matin pour conduire plusieurs prisonnières au parloir, je m'approchai d'elle et lui demandai de
me restituer ma bouteille de sirop contre la toux.

Elle cria :

— On vous a dit : pas de sirop !

J'essayai de la convaincre :

— Je tousse et j'empêche aussi mes voisines de dormir.

Alors elle éclata :

— Est-ce moi ou vous qui veille ici à l'ordre ? Qui me
dit ce qu'il y a dans votre bouteille à sirop ? Vous voulez
peut-être vous empoisonner ! On a vu de tout par ici ! Si
vous y revenez, vous passerez la nuit à l'« atelier ». Faites
attention, si l'on me fâche, pas de lettres ni de colis ce soir
pour toute la compagnie, gronda-t-elle en sortant.

Je fus tellement intimidée par cette algarade que j'allai me cacher derrière mes compagnes.

Pour me consoler, j'écrivis aux Marius, qui devaient probablement avoir été mis au courant de ma mésaventure par M. Jean Letellier.

Je m'aperçus bientôt que notre geôlière n'était pas si méchante. Accoutumée à faire régner une discipline absolue parmi ses pensionnaires habituelles, notre présence la désemparait. Désorientée, elle dissimulait son embarras à notre égard derrière une rudesse bourrue et criarde.

Lorsque, nous adressant à elle, nous commencions :

— Puis-je vous demander...

Elle interrompait aussitôt :

— Vous n'avez rien à me demander ici. Je ne donne que des ordres. Obéissez !

Nous n'osions plus poursuivre :

— ... vous demander l'autorisation de fermer la fenêtre qui se trouve au-dessus du lit ? La pluie nous inonde.

Ce qui ne l'empêchait pas de vociférer le lendemain :

— Peut-on être fainéante à ce point, de laisser une fenêtre ouverte et que la pluie vous pisse dessus !

Si l'on s'avisait, par contre, de fermer une fenêtre sans autorisation, elle s'exclamait, d'une voix à vous donner la chair de poule :

— Laquelle qui est celle qui a fermé la fenêtre ? C'est-y moi qui commande ici ou euss ?

Nous nous enfermions dans un silence anxieux.

— La patronne est forte en gueule, disait la receleuse ; elle crie à vous faire mal au ventre.

Ces scènes auraient dû nous divertir, mais nous étions trop ébranlées par les secousses passées. D'autre part, tous les jours nous apprenions que quelques-unes de nos compagnes, en sortant de la maison d'arrêt, avaient pris le chemin de Gurs. Tourmentées par la perspective de la déportation, nous étions extrêmement nerveuses et nous prenions tous ces incidents quotidiens très au sérieux.

Un samedi soir, Mlle Adrienne nous dit que le lendemain on dirait la messe à la chapelle de la prison.

— Si nous y allions toutes pour prier ? Dieu est là pour tout le monde sans différence de religion, proposa une détenue.

La plupart acceptèrent.

Avant de nous conduire aux dortoirs, la patronne annonça :

— De ce coup-là, demain c'est la messe ! Quelles sont ceuss qui viennent ?

Une vingtaine d'entre nous se présentèrent.

Se montrant profondément offusquée, elle protesta :

— Si toutes les juives qui s'amènent par ces temps-ci chez nous montent à la chapelle, il n'y aura plus de place pour les bonnes chrétiennes.

Avec douceur, Mlle Adrienne répondit :

— Voyons, madame, pourquoi empêcher ces malheureuses d'aller vers Dieu ? Est-ce bien dans l'esprit de Notre-Seigneur ?

L'argument la confondit. Elle en perdit l'usage de la parole. Elle ne recourut même pas, de ce coup-ci, à sa méthode habituelle, celle de vociférer à tue-tête ! Ce fut là, je crois, une date dans sa vie.

Mais le lendemain, elle trouva sa revanche. Lorsque les détenues voulurent pénétrer dans la petite chapelle, sous les combles de la maison d'arrêt, elle tonna subitement :

— Les chrétiennes d'abord !

Peut-être cette discrimination fut-elle faite moins par besoin d'autorité que par conviction. C'était sa façon particulière de manifester ses sentiments chrétiens. Notre patronne n'avait certes pas l'âme noire, mais était tout simplement très infatuée par l'importance de son rôle de geôlière principale de la maison d'arrêt.

Je plaisante aujourd'hui notre geôlière (que nous osions appeler, dans l'intimité, « Mme de ce coup-ci »), sans aucun ressentiment et même avec une nuance de sympathie. En tenant compte du pouvoir illimité dont elle disposait sur nous, il faut reconnaître qu'elle aurait pu se montrer plus totalitaire encore.

Notre existence de recluses tourmentées comportait ses instants de récréation. Un dimanche, une ravissante Viennoise, blonde aux yeux verts, à laquelle une grossesse avancée n'avait pas enlevé sa grâce, mère du garçonnet confié à l'orphelinat, reçut la visite de cet enfant qu'une bonne sœur accompagnait.

La religieuse raconta que le gendarme, conduisant le bambin, lui avait demandé en route son nom afin de le livrer en due forme à l'établissement.

— Comment t'appelles-tu ?

— François Besson, avait répondu l'enfant, comme ses parents le lui avaient recommandé (car toute la famille était, selon l'usage, munie de faux papiers).

— Bien, mais ton vrai nom ?

— Je m'appelle François Besson, avait confirmé le
gosse avec fermeté.

Comme le gendarme essayait d'insister, l'enfant, nullement désemparé, avait fini par dire :

— Écoutez, si vous ne me croyez pas, demandez à
maman si ce n'est pas vrai. Moi, je sais que je m'appelle
François Besson.

Le gendarme en était tout ébahi. Il ignorait que des
dizaines de siècles avaient forgé la résistance morale de ce
jeune fils d'Israël.

La religieuse nous rapporta cet autre propos : la sœur
qui veillait sur les bambins de l'orphelinat avait demandé
au petit :

— Est-ce ton papa ou ta maman qui est mort ?

— J'ai encore papa et maman, ils sont en prison, mais
vous savez, madame, ils n'ont pas volé. C'est parce qu'ils
sont juifs !

Et les bonnes sœurs en avaient été stupéfaites et apitoyées.

Mis en verve par son succès, l'enfant nous confia dans
son charmant babil qu'il avait reçu des joujoux et qu'il
s'amusait avec de petits camarades.

— Tu sais, maman, ils ne sont pas juifs, eux, mais ils
sont gentils quand même. On ne me bat pas.

La mère, fière comme une reine, conta aux dames qui
l'entouraient comment son petit avait déjà tenu tête aux
gendarmes au moment de leur arrestation. Le garçonnet
l'interrompit :

— Je leur ai dit tout comme tu me l'as appris, maman.

C'était un enfant blond et rose, avec un visage à fos-
settes, tout pareil à sa mère. Ses paroles et son attitude

étaient singulièrement mûries, réfléchies. « Il sera un jour, songeais-je, en l'observant, un de ces juifs qui ne rencontrent pas de sympathie. On le jugera trop dégourdi, fort malin et insupportablement habile. Après une telle école de vie ! Six ans ! Pauvre petit !

La porte de l'« atelier » s'ouvrit et la patronne proclama :

— De ce coup-là, c'est l'heure de la soupe !

Les récipients remplis en l'honneur du dimanche d'une soupe aux pois chiches et aux nouilles apparurent sur les tables.

L'heure de la visite était terminée...

La douce religieuse de l'orphelinat et l'enfant rose partirent.

XII

SAINT-JULIEN

Au bout d'une semaine, un groupe de détenus devait être conduit au palais de justice de Saint-Julien. Les uns pour y être interrogés par le juge d'instruction, les autres pour passer en cour d'assises. J'étais parmi les premiers.

À six heures du matin, nous fûmes interpellées par le traditionnel : « De ce coup-ci! », suivi cette fois d'un : « En route pour le tribunal! » Puis la patronne fit l'appel des noms, qu'elle écorchait de son mieux; à tout essai de rectification, elle répliquait :

— Je veux bien, mais qu'est-ce que c'est que tous ces noms de Turques?... Moi, je ne connais pas le latin.

Alors on riait, la patronne avec nous, fière et contente de la saveur de ses propres paroles.

Nous nous installâmes dans le « panier à salade » improvisé.

Ce voyage au tribunal fut pour nous une réelle récréation. Il offrait l'occasion de quitter pour des heures la prison, de contempler le soleil, la forêt, les champs, les Alpes avec leurs cimes neigeuses, l'hiver dans toute sa splendeur.

Ce déplacement nous mettait en présence de fugitifs plus récents qui apportaient des nouvelles.

Nous voyagions avec d'autres détenus : voleurs, vagabonds, ivrognes, cambrioleurs et receleurs. Un meurtrier, menottes aux mains, flanqué de deux gendarmes, était le personnage le plus important. Il était assis à côté d'une ravissante brune, accusée d'avoir dansé dans un endroit public. Elle nous prenait à témoin de l'injustice qui lui était faite :

— Danser ! Est-ce maintenant un crime ?

Les hommes présents s'indignèrent pour lui faire plaisir.

Personne ne lui objecta que la majorité des criminels de l'autocar n'avaient sur la conscience que d'avoir voulu fuir la déportation.

Arrivées à Saint-Julien, les « nouvelles » durent se rendre dans une petite salle devant le juge d'instruction. Celui-ci posa les questions d'usage et nous nommâmes le seul motif qui nous avait fait courir nos chances d'évasion. Comme nous n'avions pas encore pris contact avec un avocat, « notre affaire » fut remise à huitaine.

Nous fûmes ensuite conduites dans la grande salle du tribunal ; on nous autorisa à suivre les débats.

D'abord quelques délinquants furent jugés.

À un voleur de dix poulets, le juge dit :

— D'accord, vous vouliez avoir un poulet pour réveillonner, mais les neuf autres, pourquoi les avoir égorgés eux aussi ?

— C'est qu'ils venaient comme qui dirait d'eux-mêmes, alors j'ai pensé aux copains. Un petit poulet, cela fait plaisir pour Noël.

Il parlait sérieusement. Les témoins attestèrent qu'en

effet les poulets avaient été distribués par lui. L'exterminateur du poulailler fut condamné à un mois de prison
avec sursis.

Immédiatement après vint le procès d'importance de la
journée : l'assassinat. Les experts firent de longues dépo-
sitions ; les témoins furent appelés. Puis un homme de
haute taille, l'accusé, extrêmement pâle, se leva.

Originaire de Brême, de nationalité allemande, juif, le
meurtrier était venu avec sa femme se réfugier en France.
Ils vivaient d'abord tranquillement à Paris de ressources
envoyées par un parent suisse. Survint l'ordre d'arrestation des juifs allemands, accusés collectivement d'être
des agents de la cinquième colonne. Le couple se trouva
séparé : elle à Gurs, lui dans un fort. Après six mois, la
femme, souffrante, exténuée, le système nerveux sérieusement ébranlé, fut libérée. Un mois plus tard, la loi de
révision relative aux juifs allemands et autrichiens libéra
le mari à son tour. Ils reçurent l'autorisation de résidence
forcée dans une petite localité des Alpes-Maritimes où ils
reprirent leur train de vie.

Cependant, la femme ne parvenait pas à chasser le souvenir des mois passés au camp de Gurs pendant lesquels
elle avait cru son mari déporté vers l'est. Elle le conjurait
de la tuer si pareille circonstance venait à se reproduire.
Longtemps le mari refusa.

Elle souffrait d'insomnie ; une nuit, elle avala le
contenu d'un tube de comprimés somnifères. On
réussit à la ramener à la vie. Mais elle annonça aussitôt
qu'elle recommencerait sa tentative à la première occasion. Elle ne pouvait, disait-elle, continuer à vivre sous

la menace continuelle d'une déportation. Pour la rassurer, et ne croyant point à une reprise des persécutions, l'homme lui avait enfin juré de la tuer et de la suivre dans la mort. À partir de ce moment, elle devint calme, presque sereine. Garde-malade de profession, elle se mit à soigner les enfants et les vieux du village avec tant de grâce et de dévouement que tout le monde entourait le couple de sympathie et de reconnaissance, rapporta un témoin.

Les lois racistes, appliquées en France en 1942, ramenèrent des persécutions de plus en plus violentes. Le couple, comme tant d'autres, décida une tentative suprême de fuite vers la Suisse.

Munis d'un maigre bagage, dans lequel fut caché un grand rasoir en acier, ils se mirent en route vers la frontière avec d'autres fugitifs, guidés par un passeur.

Ils furent appréhendés juste au moment de franchir les barbelés. En un éclair, pendant que les gendarmes s'occupaient de leurs compagnons, la femme retira le rasoir de sa valise et, le remettant à son mari, ordonna :

— Hans, tu as juré !

Affolé lui-même par cette arrestation subite, le mari saisit l'arme meurtrière et, comme hypnotisé par la volonté de sa femme, lui taillada la gorge. Les gendarmes accoururent. Alors, il se porta deux profonds coups de rasoir et tomba ensanglanté à côté de sa compagne. Son dernier mouvement fut, rapportait l'un des douaniers, témoin de la scène, de prendre entre ses bras la mourante. Un autre confirma le récit par un :

— J'étais présent. C'était exactement comme ça !

Le médecin arrivé sur les lieux constata la mort de la

femme et l'état désespéré de l'homme. Il pansa provisoirement les plaies du moribond et ordonna le transfert immédiat à l'hôpital le plus proche. Le couple fut ramené à Z., elle à la morgue, lui dans une salle d'opération.

— Comment le meurtrier s'est-il tiré de cette blessure, cela m'est incompréhensible, rapporta le médecin à la barre. Je puis l'affirmer en conscience, voilà un de ces faits qui entrent dans la catégorie du hasard et que l'on peut qualifier de miraculeux si l'on y voit la volonté divine. D'ailleurs, il n'est que de regarder les deux horribles cicatrices du meurtrier pour mesurer l'extraordinaire du fait.

Le médecin-expert fit tourner la tête au détenu et un frisson courut dans la salle. On pouvait, en effet, voir de loin deux grandes blessures à peine cicatrisées, se croisant au milieu de la gorge.

Le médecin conclut :

— Revenu à lui, le désespéré profita d'un moment d'absence d'une garde pour arracher son pansement et on le retrouva dans une mare de sang. L'hôpital en fut bouleversé. Ici encore, l'on peut dire que seule la constitution exceptionnellement robuste de l'homme explique qu'il s'en soit tiré, contre sa volonté, car on dut le ligoter après cette seconde tentative.

Le tribunal était profondément impressionné.

La parole était à l'avocat général :

— Quelle que soit la tragédie, le fait est là : la femme est morte assassinée ; l'homme est devant vous – en vie. Je demande la peine d'usage avec circonstances atténuantes.

Il se rassit et l'on eut l'impression qu'il venait de remplir bien à contrecœur son devoir professionnel.

L'avocat de l'accusé exposa alors la vie des deux persécutés, avec ses phases d'espoir chaque fois déçu par les événements. Il plaida et termina par ces paroles :

— Messieurs les jurés, lorsque le médecin, ici présent, ordonna le transfert du moribond qui devait subir une opération urgente, la voiture se rendit à l'hôpital de la localité la plus rapprochée, celle de Z. Le maire, avisé par téléphone de l'arrivée du transport tragique, prit une décision qui restera inscrite dans la honte : « C'est un juif. Je ne veux pas avoir d'histoires avec les Allemands dans ma commune, conduisez-le à Saint-Julien ! » Le convoi a dû faire encore plusieurs kilomètres avant de pouvoir déposer le mourant et la morte.

Il y eut un mouvement d'indignation chez les jurés, qui s'amplifia en murmure de réprobation générale.

— Voici, messieurs les jurés, ce qui s'est passé en France en 1942 ! Pour racheter cette action abominable, je demande qu'on libère immédiatement un homme qui ne peut et qui ne doit pas être inculpé de meurtre, mais dont le seul crime est d'avoir accompli une promesse sacrée qu'il voulut en même temps payer de sa vie !

Une heure plus tard, l'accusé quittait la salle. Épuisé d'émotion et de fatigue, il s'appuyait sur deux personnes charitables. Il était acquitté.

★

Le tribunal devait encore siéger l'après-midi et, comme les détenus ne pouvaient être ramenés qu'ensemble, nous fûmes enfermés jusqu'à la fin des débats dans la « tôle » que je connaissais déjà pour y avoir passé la nuit d'avant notre incarcération à la maison d'arrêt.

Cette fois, nous y étions entassés au nombre de vingt et un, assis et couchés sur les deux grabats ou debout dans le couloir. Deux jolies Savoyardes nous apportèrent notre repas de l'auberge voisine. À l'étroit, bousculés, mais affamés, nous mangeâmes.

L'odyssée des captifs, racontée pendant ces heures d'attente, était poignante : des parents aux enfants enlevés ; des mères de famille sans mari ; un père avec deux fillettes de six et huit ans, auxquels avait été arrachée la femme et la mère lors d'une rafle dans un marché de Marseille. Partie aux achats, elle n'était pas revenue. Un avocat de Bruxelles, un industriel de Mulhouse, un curé de Prague, vêtu en paysan ; deux écrivains allemands, une doctoresse psychanalyste, également allemande, une cantatrice autrichienne, un rabbin d'Anvers dont la famille de sept personnes avait été déportée alors qu'il célébrait l'office, un pasteur, une femme avec son nourrisson, etc., etc. Chaque nouveau « cas » paraissait plus tragique que le précédent. Crescendo de souffrances, de déportations, de disparitions !

L'exterminateur de basse-cour faisait parmi nous figure d'un favorisé du destin. Il était d'ailleurs très satisfait de l'issue de son procès et se plaisait fort en notre compagnie. On partageait avec lui cigarettes et repas ; le pauvre bougre ne semblait guère avoir mangé à sa faim depuis le fameux réveillon aux poulets.

En causant avec les nouveaux appréhendés, nous apprîmes que les autorités allemandes avaient remplacé un peu partout en France les troupes italiennes d'occupation par des soldats du Reich; les Allemands étaient partout victorieux, la situation politique était en leur faveur, leurs démarches diplomatiques couronnées de succès et les pays envahis gémissaient sous un joug de plus en plus pesant.

Ce soir-là, j'entendis appeler mon nom à la distribution du courrier : c'était une lettre de mon bon professeur qui, ayant projeté un séjour à Nice, était cependant allé s'établir à Lyon pour des raisons de famille. Je l'avais avisé de mon arrestation. Il m'écrivait à présent que, dans mon cas (déplacement sans autorisation, tentative de fuite), le camp de Gurs était malheureusement à envisager avec certitude; toutefois, ajoutait-il, sans danger imminent de déportation. Il me promettait d'aller me voir dès mon transfert dans ce camp pour examiner avec moi les possibilités d'une libération.

Toute la bienveillance et tout le dévouement que sa lettre exprimait à mon égard ne pouvaient me consoler de la perspective de me voir vouée à Gurs. Je passai une nuit agitée, cherchant une issue et méditant sur les moyens d'une nouvelle tentative de fuite. Je n'en voyais aucun. La pensée du moyen suprême m'effleura. Trois jours plus tôt, au moment d'être transférée, une femme s'était ouvert les veines en brisant une vitre dans la salle où elle se trouvait enfermée dans l'attente des gendarmes. Je sentis nettement que ce courage me manquerait. De trop nombreux liens me rattachaient encore à l'existence; j'aimais la vie et la pensée de revoir ma mère et les miens me donnait de l'énergie pour chercher le salut.

Le lendemain, à l'heure du courrier, mon nom fut encore appelé. C'était une lettre des Marius. Ils me racontaient leur douleur à mon sujet, m'exprimaient l'inquiétude dans laquelle ils avaient passé les fêtes de Noël et me parlaient des amis qui venaient sans cesse aux nouvelles. Ils me demandaient avec tristesse quel avait été mon sort : incarcération ou camp? Et de quelle façon pouvait-on m'atteindre? La somme que je leur avais demandée avait été adressée à mon avocat par mandat télégraphique.

Ils m'annonçaient en outre l'envoi, par le même courrier, de tickets de ravitaillement à la direction de la prison. Cette lettre m'encouragea et me consola; je pouvais donc compter sur l'aide d'un avocat, espoir suprême de chaque détenu.

Le surlendemain, un colis arriva, contenant tant de merveilles et de raretés qu'il fit sensation : deux cuisses de lapin, fruits confits, du savon, deux serviettes, un drap.

La détenue complice du fabricant de faux tickets disait :

— Mais c'est un vrai morceau de savon vrai!

Je découvris aussi trois aiguilles cachées dans une boîte, sous un camembert bien fait. Pour la première fois depuis longtemps, je retrouvais le plaisir du palais, car la fonction de manger était devenue pour moi une sorte de morne obligation.

Cette nuit-là, Cendrillon dormit sur un drap blanc, son polochon recouvert d'une serviette propre.

★

Un matin, la patronne me convoqua d'une voix de stentor. Je la suivis au parloir, où m'attendait mon avocat, et nous fîmes connaissance.

Outre un mandat télégraphique, il avait reçu mon passeport et divers documents. La fameuse recommandation de la présidence du Conseil de 1939 reparaissait encore une fois! Le volume de Jules Chancel figurait également dans le dossier.

L'homme de loi était fort affable et nous bavardâmes. Il me dit en souriant que mon dossier contenait des pièces capables de m'innocenter de crimes autrement graves qu'une tentative d'escapade en Suisse. D'ailleurs, me dit-il, les rigueurs judiciaires avaient été un peu relâchées, l'attention des autorités allemandes s'étant, depuis peu, concentrée ailleurs. Certains réfugiés avaient été libérés, leur peine une fois purgée, d'autres renvoyés dans leurs anciennes résidences ou dirigés vers des départements moins surveillés par les nazis. Les procès en cours, m'expliqua-t-il pour mon orientation, n'avaient d'autre sens qu'une formalité obligatoire à défaut de laquelle les Allemands prendraient aisément eux-mêmes, sous le premier prétexte, toutes les mesures, s'introduiraient jusque dans les tribunaux et finiraient par détenir toute l'administration policière et judiciaire du pays. Il fallait donc garder envers les réfugiés les apparences d'une stricte sévérité pour ne pas donner le prétexte d'une telle mainmise sur les institutions de la France.

La semaine qui commençait se présentait pour moi sous d'heureux auspices et permettait quelques espoirs auxquels je m'accrochais avec enchantement.

Elle fut aussi marquée par la libération de Mlle Adrienne qui, en partant, eut pour chacune un mot d'encouragement, une recommandation. Elle me donna l'adresse de plusieurs personnes auprès desquelles je pourrais demander appui et conseil une fois ma liberté recouvrée.

D'autres détenues, quittant la maison d'arrêt, promirent de nous envoyer de leurs nouvelles pour nous tenir au courant de leur sort et pour nous orienter ainsi sur ce qui nous attendait à notre tour.

Un fait saillant clôtura cette semaine : ce fut la constatation que notre séjour collectif en « tôle » avait valu à plusieurs d'entre nous des poux de corps. Grand émoi! Nous procédâmes à un épouillement mutuel, fiévreux et consciencieux, qui occupa toute une journée. J'avais l'impression de me trouver dans une de ces vastes cages à singes où le spectacle de la même occupation simiesque m'avait tant amusée dans ma prime jeunesse.

★

De nouveau, la « patronne » entra et, d'un ton particulièrement grave, d'un timbre sévère, elle annonça :

— De ce coup-ci, c'est le tribunal.

Suivaient les noms des détenues (devenues entre-temps des « anciennes »), qu'elle prononçait déjà avec une assurance absolue et un accent impeccable, puis ceux des « nouvelles » qui devaient à leur tour comparaître devant le juge d'instruction.

C'est avec un frémissement de joie intérieure que les prisonniers, hommes et femmes, montèrent dans l'autocar.

En route, notre voiture entra en collision avec un camion. Après le choc, le moteur refusa de se remettre en marche ; on aurait dit un cœur de colosse qui avait cessé de battre sous l'émotion de son propre crime. Sa victime, le camion, littéralement écrasé, gisait à côté dans le ravin. En vain le chauffeur, aidé des gendarmes, s'efforça-t-il de ranimer la bête. Peine perdue ! Les détenus durent terminer le voyage à pied pendant plusieurs kilomètres. Nous étions nombreux et le groupe qui marchait le moins vite, qui « restait *esprès* en arrière », comme l'affirmait un de nos gardes, reçut des menottes.

Maison d'arrêt, empreintes digitales, comparution en correctionnelle, menottes, rien ne manquait au tableau. Lorsque, solidement encadrés par notre escorte de gendarmes, nous pénétrâmes dans la salle du tribunal, je me rappelai l'illustration d'une édition de Courteline. Ce rapprochement me dérida.

La première affaire de l'audience concernait un passeur qui, depuis des mois, avait dirigé de nombreuses fuites à des prix allant jusqu'à cent mille francs par tête. En raison de ces sommes exorbitantes, il fut condamné à trois ans de travaux forcés.

Puis vint le tour d'une femme portant un bébé dans ses bras. Pour avoir voulu fuir, une peine d'un mois de détention lui fut infligée. Elle était en même temps citée en qualité de témoin à charge contre son passeur.

Après avoir touché la somme convenue, celui-ci avait, chemin faisant, exigé d'elle cinq nouveaux billets de mille francs.

— Je sais, lui avait-il dit, que vous avez encore de l'argent sur vous.

— Je ne dis pas non, répondit la femme, mais je ne connais personne en Suisse et j'emporte, vous le voyez, un bébé malade.

— Comme il vous plaira, avait-il répliqué. Je vous plaque.

Alors la femme s'était exécutée. Deux kilomètres plus loin, l'enfant pleura, un gendarme survint, le passeur prit la fuite. Transférée à la douane, elle y retrouva, non sans plaisir, l'escroc arrêté peu après elle.

L'avocat général et les juges tancèrent vertement l'inculpé, qui fut condamné pour escroquerie et chantage.

Ensuite comparurent quatre jeunes gens de vingt-deux à vingt-cinq ans. Au moment de la déclaration de guerre, ils s'étaient engagés, comme volontaires, avec un groupe de cinquante jeunes juifs polonais. À l'armistice, ils avaient été envoyés au Maroc et incorporés en qualité de « prestataires » dans la Légion étrangère. Une quinzaine d'entre eux, par contre, qui avaient de la famille en France, étaient autorisés à rester dans des camps de la métropole avant d'être libérés. Les persécutions survinrent et huit « prestataires » furent déportés en Allemagne. D'autres réussirent par miracle à atteindre l'Angleterre. Les quatre derniers avaient franchi à pied la distance qui sépare les Alpes-Maritimes de la frontière suisse pour venir échouer... en correctionnelle. Ils venaient de purger leur peine préventive. Les juges se consultèrent et estimèrent que les quatre anciens volontaires se trouveraient moins exposés dans un camp de travail français qu'en prétendue liberté.

Un diamantaire d'Anvers, dont la femme était morte

dans un camp belge et les cinq enfants éparpillés, comparaissait, comme la plupart d'entre nous, sous l'inculpation de déplacement avec faux papiers et tentative de fuite sans autorisation. Il portait en même temps plainte contre les miliciens qui l'avaient arrêté.

— Lors de la fouille, exposait son avocat, ceux-ci avaient trouvé sur lui deux petits sachets en soie, cousus dans une doublure de son pardessus et renfermant des diamants. À chacun des sachets était jointe une nomenclature détaillée indiquant le poids, la couleur et la dimension de chaque pierre. Le diamantaire avait cousu une copie de cette liste dans sa casquette et il en avait déposé un troisième exemplaire chez des amis français à Grenoble. En cas de malheur, ses amis avaient promis de réclamer les diamants; ils avaient pour mission de remettre les pierres précieuses aux enfants, si ces derniers devaient reparaître. Lorsque les deux sachets furent découverts, les miliciens s'en saisirent et se retirèrent. À leur retour, certaines des pierres manquaient et la nomenclature avait disparu. Le diamantaire refusa de contresigner le procès-verbal de saisie. Se sachant perdu et n'ayant rien à redouter, il voulait au moins sauver cette partie de sa fortune, au profit de ses enfants.

Les policiers finirent par avouer qu'ils avaient emporté dans une autre pièce les deux sachets.

« Il y avait une telle cohue qu'on ne pouvait pas travailler tranquillement avec d'aussi petits objets. Le détenu veut nous porter préjudice par vengeance », déclara l'un d'eux.

Le fait qu'ils avaient emporté le bien de l'appréhendé

étant contraire à la loi, l'avocat demanda que satisfaction fût accordée à son client. Des recherches devant être faites, le procès fut remis à quinzaine.

Trois vieilles dames, aux cheveux d'une éclatante blancheur, comparurent en même temps, défendues par le même avocat. La plus jeune avait... soixante-deux ans ; la plus âgée soixante-douze. La plus grande était encadrée des deux autres, menues, presque fragiles. Elles se présentèrent ensemble à la barre, toujours pour le même délit : déplacement sans autorisation, faux papiers, tentative de fuite.

L'une avait une fille mariée à Zurich ; l'autre, privée de son fils déporté par les Allemands, voulait se joindre à son amie. La troisième avait dû quitter l'hospice de la communauté israélite de Toulouse, fermé par ordre de Vichy, et elle s'était trouvée tout simplement sans toit. Elle avait pris le chemin de la Suisse, pays qu'on lui avait assuré être le refuge des malheureux.

En regardant ces trois vieilles femmes, je me demandais comment elles avaient imaginé le passage des fils de fer barbelés ! Avaient-elles songé aux difficultés de leur entreprise ? Les ignoraient-elles simplement ? Ou croyaient-elles que, puisque la mer Rouge s'était entrouverte pour laisser passer les enfants d'Israël, les fils de fer barbelés pourraient bien s'écarter pour faire place à de pauvres vieilles cherchant la liberté ? Croyaient-elles encore aux miracles, si nombreux dans l'histoire de leurs ancêtres ? Avaient-elles oublié que, depuis cette époque lointaine, leur Dieu, l'Éternel, Dieu de la foudre et de la vengeance, semblait avoir bien délaissé son peuple élu ?

Après une scène émouvante, elles furent toutes trois acquittées avec ordre de retourner dans leurs résidences antérieures[1].

Comme dans un rêve, j'entendis appeler mon nom. Je me levai; je sentis plutôt que je ne vis les regards du tribunal se porter sur moi. Je me tenais debout pendant que mon avocat exposait mon délit : tentative d'évasion, mais avec visa suisse. Alors qu'il s'agissait généralement d'étrangers venus en France récemment pour fuir les persécutions, j'avais pour ma part longtemps vécu dans ce pays, j'y avais fait mes études. Il raconta comment, traquée, j'avais dû me cacher pendant des mois. Il rappela que des amis suisses, informés de ma détresse, m'avaient envoyé un visa d'entrée. Forcée par le danger et bien à contrecœur, j'avais enfin cherché à quitter cette France que je considérais comme ma seconde patrie. Cette tentative de fuite avec de faux papiers que, par égard pour la Française qui me les avait prêtés, j'avais renvoyés prématurément avait échoué.

— Ma cliente, si elle avait conservé ces papiers, aurait pu aisément passer pour une Française et rebrousser chemin.

Élevant la voix, l'avocat lut ensuite la lettre de recommandation de 1939. Au passage... *nous souhaitons qu'elle jouisse dans notre pays de tous les droits et de toutes les libertés...*, un murmure s'éleva parmi les juges.

Cette recommandation repoussée, dédaignée, moquée

---

1. En février 1944, des amis m'écrivirent qu'une de ces bonnes vieilles, dont je prenais régulièrement des nouvelles, avait été appréhendée par la Gestapo et transférée au camp de Drancy.

même, à tant de reprises, permettait maintenant à mon avocat de demander une autorisation exceptionnelle de résidence en Haute-Savoie, dans n'importe quel village, bourgade, sous-préfecture, à Annecy même, ainsi que le droit de me déplacer librement dans les limites du département.

La demande de mon défenseur reçut pleine satisfaction. Je fus condamnée au minimum avec sursis et déclarée libre.

On me ramena à la maison d'arrêt d'Annecy où il me fallut attendre jusqu'au lendemain les formalités de la levée d'écrou.

Pour la première fois depuis bien longtemps, je dormis cette nuit-là sans cauchemars ni inquiétude, d'un sommeil réparateur.

Nous descendîmes, comme d'habitude, à six heures trente, à l'« atelier ». J'emportais cette fois-ci mon baluchon, mon drap, ma serviette, car j'espérais ne plus avoir jamais à remonter dans ce dortoir.

J'espérais, mais sans trop de conviction...

XIII

ANNECY

Au greffe, je reçus mes deux bijoux et mon argent. La gardienne me remit les affaires déposées au magasin. Elle était devenue avec moi presque affable, tout en gardant, naturellement, les distances obligatoires. Elle s'entêta, jusqu'à mon départ, dans son hostilité contre le sirop. Lorsqu'elle me le tendit, visiblement à contrecœur, j'eus l'idée d'une plaisanterie. Je débouchai le flacon et j'en avalai quelques gorgées. Elle eut un mouvement de frayeur. La patronne était donc réellement convaincue qu'il s'agissait là de quelque poison !

— Allez ! allez ! je ne voudrais pas vous voir claquer dans les murs de la maison d'arrêt, me dit-elle sévèrement.

Je n'ai jamais compris pourquoi ce sirop rose tendre lui avait inspiré pareille suspicion.

Vers dix heures, un milicien vint nous chercher pour nous conduire à la gendarmerie, où nos avocats nous remettraient les mandats de mise en liberté. Nous étions un groupe de huit à quitter la maison d'arrêt : cinq femmes et trois hommes.

Enfin, un lourd portail s'ouvrit pour nous laisser sortir.

Nous étions joyeux et marchions allégrement. Le garde nous disait : « Au pas! au pas! Et plus vite que ça! », semblant vouloir exercer pour la dernière fois son pouvoir sur nous.

Avant de tourner le coin de la rue mémorable, je regardai encore une fois la haute bâtisse avec ses murs élevés d'où émergeait un arbre triste, au sommet dépouillé. Je l'avais souvent contemplé : il avait poussé en hauteur, dans sa quête nostalgique d'espace et de liberté.

— C'est à quatre heures que l'on continue sur Gurs! prononça subitement le milicien.

— Sur Gurs?... Sur Gurs? s'écrièrent huit voix à la fois. Mais nos avocats nous ont affirmé que nous étions libérés?

— Non, répondit carrément l'homme, un nouvel arrêt qui date d'hier ordonne le transfert de tout le monde à Gurs!

C'était plus que possible. Une tristesse de plomb s'abattit sur nous. Désespérés, nous pénétrâmes dans la gendarmerie.

Une heure plus tard, trois avocats se présentèrent, produisirent les mandats de mise en liberté et sortirent avec leurs clients.

★

Mon avocat n'était pas venu et je me trouvai subitement seule. J'étais dans un état d'énervement tel que je me sentais devenir folle.

Le milicien lançait en ricanant des regards dans ma

direction. Je surmontai la haine cordiale qu'il m'inspirait et lui demandai de bien vouloir téléphoner à l'avocat pour lui rappeler ma situation. Il refusa carrément en disant que ce n'était pas aux gendarmes à courir après les mandats de mise en liberté, bien au contraire !

— Les avocats n'ont qu'à venir, ils sont payés pour ça, fichtre !

Il sortit, fort heureusement.

Un gendarme entra et me rassura aussitôt. Il savait pertinemment, me dit-il, que je figurais sur la liste des libérés.

— Oubliez les remarques de *l'autre*, ajouta-t-il ; il aime à plaisanter. Tout ira bien. Patience !

Mais je n'en pouvais plus. Au comble de la fatigue et de l'abattement, je me mis à pleurer à chaudes larmes.

Me voyant secouée de sanglots, mon garde courut chercher un verre d'eau froide et me l'offrit en répétant paternellement :

— Voyons, voyons !

À midi passé, mon avocat, retenu ce matin-là au tribunal, téléphona à la gendarmerie qu'il apporterait dans l'après-midi mon mandat de libération. Le gendarme s'en montra tout joyeux. Il me passa quelques papiers à signer et me dit :

— Vous êtes libre. J'en étais sûr. Et maintenant allez prendre un bon repas et un bon verre de vin.

Touchée, je lui tendis la main :

— Merci, monsieur, vous êtes un vrai Français !

Il saisit mes doigts, les serra avec vigueur, et subitement grave :

— Bon courage, madame! Ils nous payeront tout, foi de Savoyard!

Il venait ainsi de faire le même serment solennel que Marius, le Méridional.

★

D'un pas chancelant, je traversai la vaste cour. Je ne pouvais m'empêcher de me retourner à chaque instant pour m'assurer qu'aucun gendarme ne me suivait. Voyant qu'il n'y avait réellement personne derrière moi, je sortis sans précipitation. Je fus saisie d'un tel vertige que je dus m'asseoir sur une borne devant l'entrée. Je fermai les yeux, mon baluchon à mes pieds, et fis un effort pour reprendre ma respiration.

La place devant moi me paraissait immense. Je n'avais pas le courage de traverser cet espace. Aussi, lorsqu'une vieille dame s'en vint dans ma direction, je lui adressai la parole :

— Permettez-moi, madame, de marcher à vos côtés jusqu'au restaurant le plus proche.

Elle m'aida à me lever, saisit mon baluchon et, me prenant par le bras, me mena comme une malade. Je n'oublierai jamais la douceur de son affectueux soutien. Elle ne me posa aucune question. Comme je lui en savais gré!

Lentement, elle me conduisit vers une table, sur une terrasse vitrée. Je la remerciai chaleureusement.

Après avoir salué la patronne avec laquelle elle semblait être en fort bons termes, elle me fit en sortant un aimable signe d'adieu.

Une ravissante brune, la fille de la maison, ainsi que je l'appris dans la suite, vint me servir. Je lui demandai d'avoir la gentillesse d'adresser un préavis téléphonique aux Marius.

Elle me fit remarquer que les communications extérieures étaient interdites aux étrangers, mais elle m'offrit de faire les formalités à son nom.

Tout en contemplant le lac, le soleil, le ciel, les arbres et les passants, je me mis à manger.

Une heure plus tard, j'obtins la communication : les Marius étaient au bout du fil. Ils m'exprimèrent leur joie de me savoir en liberté, me promirent de venir me voir en Savoie. Notre conversation finit en accès de gaieté, un étrange phénomène acoustique doublant nos paroles. Était-ce un récepteur spécial de contrôle ? Je l'ignore. Peu nous importait : j'étais libre !

Je restai ensuite longtemps au soleil, à lire et à écrire des lettres, tout en regardant alentour : le paysage, les passants, le va-et-vient de la rue. Je reprenais contact avec la vie... Lorsque je voulus régler mon téléphone et mon repas, j'appris, à ma grande confusion, que mon déjeuner était payé par la bonne dame qui m'avait accompagnée et que je pouvais prendre un café et un morceau de pâtisserie supplémentaires également payés. Cette preuve de sympathie, l'amabilité de la jeune Savoyarde et les paroles encourageantes des Marius me restituèrent une bonne part de mon courage.

En marchant dans la rue, j'éprouvais une sorte de vertige qui, pendant plus d'une semaine encore, me prit chaque fois que je me trouvais dehors.

★

À l'angle de la rue Royale, je rencontrai la jolie
Viennoise et son enfant prodige. Vu sa grossesse avancée,
elle avait été libérée et autorisée, en attendant le procès
de son mari et de son père, tous deux en prison, à s'installer dans un hôtel de la localité, sous surveillance, c'est-
à-dire avec obligation de se présenter deux fois par jour
au commissariat « pour faire acte de présence ».

Nous bavardâmes. Elle me conseilla de descendre dans
son hôtel; les propriétaires, me dit-elle, bons Savoyards,
se montraient favorables aux fugitifs. C'était, ma foi,
une recommandation qui comptait et je m'y rendis sans
tarder.

Il était à peine dix-huit heures, mais la fatigue, et surtout l'attrait d'un lit avec des draps blancs, un vrai tra-
versin, un véritable édredon, et même deux couvertures...
fut irrésistible et je me couchai. La femme de chambre
m'apporta deux bouillottes d'eau chaude et, un quart
d'heure après, sur un plateau, du thé au lait, du pain et
du fromage! Je dégustai toutes ces « spécialités », ensuite,
comme un animal épuisé, je m'abandonnai à la volupté
du sommeil.

Des jours passèrent. Je n'arrivais pas à recouvrer entièrement ma tranquillité. Des pas lourds dans l'escalier,
la sonnette agitée pendant la nuit, des éclats de voix sur
le palier, me faisaient me dresser sur mon séant, tout en
sueur et la respiration coupée.

★

Une nuit, trois coups violents résonnèrent à la porte voisine.

— Qui est là? cria une voix masculine.

— Police! déclara-t-on sévèrement.

La porte s'ouvrit après plusieurs minutes et j'entendis mon voisin s'exclamer :

— Imbécile! Tu n'es pas fou par hasard? Quelle idée de me réveiller d'une telle manière?

À quoi le visiteur répondit avec un rire :

— On dirait que tu as eu peur. C'était pourtant une blague!

— Une bonne blague! grommela l'autre, à une époque où la police sévit un peu partout!

Et ils se mirent à parler d'autre chose.

Quant à moi, j'étais tout habillée, tenant d'une main l'autorisation de séjour à Annecy et de l'autre ma petite valise. Comment avais-je pu réussir à me trouver toute prête dans l'espace de quelques minutes? C'est que lors des rafles à Nice, j'avais acquis dans ce genre d'exercice une extrême dextérité...

Le lendemain, tous les locataires de l'hôtel parlaient de la « blague nocturne ». Les libérés et plus encore ceux qui, cachés, étaient à la veille de fuir avaient été saisis de panique. Le mauvais plaisant, sans méchanceté ni malice, ignorait tout simplement l'atmosphère de l'heure.

Aujourd'hui, je souris au souvenir de mon affolement et surtout à l'aspect que je devais présenter alors...

Dans Annecy, je revoyais la plupart des détenus libérés.

Ils attendaient tous leur permis de voyage pour regagner leurs anciennes résidences.

Mais voilà que des cartes postales et des lettres, reçues d'autres départements, nous mirent de nouveau en alarme.

Une Autrichienne nous fit savoir qu'à peine libérée et revenue dans les Alpes-Maritimes, elle s'était trouvée « gravement malade » (c'est-à-dire, en langage convenu, en danger de déportation), et que Sophie (elle-même) s'était « remise en route » vers Grenoble pour se rapprocher de nouveau de la frontière, évidemment.

Une autre nous parlait d'une forte « crise de rhumatisme » (obligation de fuir).

Une Allemande, repartie de la maison d'arrêt avec son mari pour sa résidence à Nîmes, y apprit que « les François » (miliciens) étaient venus « les inviter » ; le couple vivait dans une grande ferme où « on les soignait » (cachait) en attendant « les vendanges » (nouvelle tentative de fuite). Dans la Haute-Garonne, « une épidémie de scarlatine » (déportations) sévissait.

Deux jeunes dames nous annoncèrent de Gurs que « leur père » (avocat) n'abandonnait pas l'espoir de les revoir prochainement, « les conditions atmosphériques étant en ce moment favorables à l'alpinisme ». Beaucoup nous informaient aussi que leurs familles avaient été déportées.

Mais dans l'Isère, « le temps était superbe, presque printanier », et les malheureux y reprenaient, semblait-il, goût à l'existence.

Les détenus qui avaient obtenu l'autorisation de séjourner provisoirement dans diverses petites localités de Savoie étaient de même confiants dans l'avenir. Ce répit, pareil à une époque de vacances, avait calmé les esprits et remonté les courages.

★

À Nice, à Grenoble et dans mes rencontres avec d'autres fugitifs, j'avais souvent entendu prononcer le nom de M. l'abbé F. à Annecy.

Comme nombre de réfugiés désemparés qui cherchaient aide et réconfort, je me rendis chez lui dès ma libération. La maison était déserte. Je frappai à une porte au fond d'un couloir.

M. l'abbé vint m'ouvrir lui-même. Il se tenait à contrejour et je ne distinguais que sa haute silhouette. Il m'introduisit dans une grande pièce pleine de livres et me fit asseoir devant une table encombrée de papiers et de paquets de toutes dimensions. Certains n'étaient pas ficelés et j'y vis du café, du riz, du sucre, du thé... Des colis plus grands étaient placés sur toutes les chaises et pour s'asseoir M. l'abbé dut en enlever un. Il s'installa à son bureau en face de moi et c'est alors seulement que je l'aperçus en plein jour.

Son regard et sa figure avaient une expression d'infinie douceur. Je n'ai jamais vu regard si droit. On sentait d'emblée qu'il vous faisait confiance. Un rayonnement émanait de sa bonté et sa présence rassurait comme une belle matinée de soleil par un jour de paix.

M. l'abbé dut me juger en bien mauvais état, car il vint dès le lendemain m'annoncer que la supérieure d'un couvent m'offrait asile afin que je reprenne des forces et retrouve ma tranquillité d'âme.

J'acceptai de bon cœur l'invitation et me rendis au couvent tout blanc sur le fond des montagnes.

Lorsque je tirai la cloche, une main invisible parut avoir poussé la porte qui s'ouvrit sur un beau jardin plein d'arbres fruitiers.

J'avançai vers l'entrée.

Sœur Ange assumait depuis trente-cinq ans les fonctions de portière. Combien d'êtres humains avaient dû entrer au couvent sous son regard bienveillant pendant ce beau laps de temps !

À force d'accueillir, son visage était devenu l'expression même de la bienvenue. Elle semblait au courant et me pria de m'installer dans la salle, près de l'entrée, en attendant que « notre mère » me fît appeler.

Nous étions assises près de la fenêtre. Sœur Ange me parlait des arbres, grande joie terrestre des bonnes sœurs qui s'adonnaient au jardinage. Elle m'offrit une belle pomme d'hiver de leur récolte, espèce, me dit-elle, spéciale à la Savoie, qu'elles avaient réussi à obtenir particulièrement savoureuses cette année-là.

On entendait des chants et des rires d'enfants : un orphelinat était attenant au couvent.

La mère supérieure m'accueillit avec bonté. Elle me raconta que le couvent hébergeait plusieurs enfants, orphelins de parents déportés. Ils devaient être transportés en Suisse par une sœur carmélite, attendue précisément ces jours-ci.

— Ils ne rient jamais, soupira-t-elle.

Depuis des mois et des mois, combien de pauvres êtres traqués avaient pris un instant de repos au couvent !

La mère supérieure leva le regard vers le Christ d'ivoire et se tut. Elle priait.

Cet accueil maternel me toucha et tandis que je me dirigeais vers le fond de la maison, je me sentis réconfortée.

★

Rien ne troublait le silence du couvent. Le jardin tout blanc me protégeait contre le dehors. Les montagnes faisaient un second cercle protecteur autour de moi. La paix régnait partout.

Je commençais à reprendre lentement le rythme de l'existence.

Le matin, à six heures, une cloche vigoureuse annonçait le réveil.

À peine percevait-on les pas feutrés des sœurs sortant de leurs clairs dortoirs.

Bientôt après, la cloche invitait à la chapelle, suivie, peu après, de la voix cristalline de la clochette de la messe.

Le soleil se levait dans toute sa gloire et inondait le couvent silencieux, les montagnes et la terre entière.

Après la messe, les sœurs s'en allaient vers leurs humbles obligations et leurs devoirs journaliers avec une visible sérénité.

Sœur Célestine racontait aux enfants l'histoire des païens, des infidèles, des êtres corrompus et diaboliques auxquels la grâce était venue à son heure. Sa foi dans la puissance du miracle était profonde et communicative. Son auditoire l'écoutait avec avidité et enchantement.

La nature qui m'entourait m'apaisait sans que je pusse cependant retrouver en elle la joie de jadis. Je savais que je ne jouissais que d'un simple répit. Je profitais de ces jours de paix passagère comme d'un précieux remède que l'on prend par gorgées pour réparer ses forces en prévision des luttes à venir.

La guerre sévissait toujours en Europe, de plus en plus sanglante, les persécutions de même.

Les miens se trouvaient sur une partie inaccessible de notre planète.

Le passé était encore récent et l'avenir toujours plein de menaces.

Chaque jour, on rencontrait M. l'abbé. Parfois il descendait à bicyclette le chemin d'une colline, et sa soutane portait des traces de pénibles randonnées.

Il allait voir des malades, des infirmes, dans tout le pays, consolait des désespérés et poussait jusqu'au maquis pour y porter aux réfractaires lettres, vivres, cigarettes et encouragements.

Parfois, lorsque j'allais le voir à la cure, il s'apprêtait précisément à sortir. Je le voyais placer dans les poches de sa soutane les objets les plus divers : un flacon de médicament, des paquets de cigarettes, un quart de café, deux paires de chaussettes, une chemise, un jour, même, un litre de vin rouge !

Devant mon étonnement, il plaisanta :

— C'est incroyable ce qu'une poche de curé peut contenir, n'est-ce pas ? Tiens ! J'ai failli oublier...

Et il ajouta une paire de pantoufles qui, effectivement, y rentra encore !

Il se mit à rire de bon cœur.

Il venait régulièrement prendre de mes nouvelles au couvent, cette retraite idéale à laquelle il m'avait amenée à un moment où ma résistance chavirait.

Parfois, il me parlait de ses malades, de ses fidèles, d'un baptême, d'un mourant, toujours avec la même affectueuse sollicitude.

Il n'oubliait personne, recevait ouvertement les fugitifs, les mettait lui-même sur le chemin de la frontière ou bien les confiait aux habitants du pays, qui s'acquittaient sans hésiter de cette tâche périlleuse. Il trouvait toujours et partout des Français disposés à aider les persécutés et des maisons qui les cachaient.

Il n'avait aucune prudence, aucune mesure dans l'exercice de son œuvre de charité et se jetait hardiment, le front haut, dans un danger qu'il ne pouvait ignorer.

Croyait-il, dans sa foi profonde, que la Providence ne saurait l'abandonner dans sa mission de chrétien? Ou allait-il tout simplement au devant de son destin, se confiant à la volonté divine et acceptant d'avance avec soumission ses décisions?

*

Un matin, je ne pus me lever. La maladie qui, depuis longtemps, couvait en moi se déclara d'une façon violente. Prise de fièvre, je restai pendant dix jours dans un état de demi-conscience.

Comme dans une vision lointaine, sœur Ange penchait sur moi les ailes blanches de sa cornette. Je buvais un mélange de tisanes parfumées et rafraîchissantes qui me désaltéraient et me semblaient des boissons célestes.

Un grand besoin de sommeil s'était emparé de moi. Je dormais. Je rêvais que j'étais dans un gouffre exhalant des vapeurs aux reflets opalins et à l'action somnifère contre laquelle il était inutile de lutter. Je m'abandonnais à sa puissance.

Parfois, je rêvais aussi que je m'étais endormie du dernier sommeil. Un grand apaisement m'envahissait. Un seul regret me tourmentait, celui de ne plus revoir ma chère vieille maman. Alors je pleurais et j'appelais dans mon délire.

Lorsque je revins à moi, avril souriait faiblement derrière les fenêtres du dortoir.

Les arbres commençaient à bourgeonner.

Le ciel était d'un bleu pâle.

Le printemps s'épanouissait.

Mme Marius vint à son tour me rendre visite. Elle fut accueillie au couvent. Elle m'apporta, du consulat suisse de Nice, le visa renouvelé et me raconta que la plupart de nos connaissances étaient déportées ; les autres se cachaient. Les Italiens étaient depuis longtemps impuissants. Dans les Alpes-Maritimes, les Allemands les avaient supplantés partout...

Elle me dit ses appréhensions à mon sujet. Il ne fallait plus attendre davantage.

Lorsque Mme Marius repartit pour Nice, nous prîmes congé l'une de l'autre pour la durée de la guerre.

XIV

À LA FRONTIÈRE

Par une merveilleuse journée printanière d'avril, je pris pour la deuxième fois le chemin de la frontière.

On m'avait expliqué avec force précisions l'endroit où les barbelés étaient peu élevés, un fossé rempli d'eau servant d'obstacle naturel. Il était franchissable au seul risque d'attraper un gros rhume, plus facilement guérissable qu'une déportation en Allemagne!

Par ces temps, l'éventualité de prendre froid était, certes, un danger à faire rire...

Je me dirigeai donc, ce jour-là, vers le fossé d'un pas allègre, en marchant le long des barbelés, à portée de main, derrière lesquels... la Suisse!

La tentation me vint plusieurs fois de grimper sur les fils de fer sans perdre de temps et de sauter de l'autre côté. Mais ce n'était pas aisé et les instructions étaient formelles : atteindre le fossé!

Enfin, j'y parvins...

Relevant ma robe, je me préparais à le franchir.

— Que faites-vous là?

Mon geste avait été surpris par un soldat dissimulé derrière un arbre et qui surgit subitement.

Je compris l'inutilité d'une réponse et, d'ailleurs, il m'aurait été impossible de proférer une parole.

Je savais que cette seconde fuite, dite récidive, me menait tout droit et sans jugement à Gurs. Je savais tout ce qui m'attendait et pourtant je n'éprouvais qu'un sentiment de vide et d'absence. Tout était lointain. Le temps me paraissait avoir suspendu son cours.

Une éternité s'écoula.

— On rentre à Saint-Julien, entendis-je prononcer par une voix chantante d'Italie.

Nous nous mîmes en marche. Je ne pensais à rien.

Au bout de quelques kilomètres, deux gardes mobiles à bicyclette apparurent sur la route.

J'éprouvai un terrible saisissement. En même temps, le soldat me prit par le bras.

Les gardes approchaient.

Subitement, le soldat se mit à me parler :

— Bel tempo! Soleil! Bon pour la terre! Moi, paysan, là-bas. Terra napolitana. Bella, bellissima terra!

Les gardes passèrent.

À Saint-Julien, l'Italien s'arrêta devant les autocars. Il me fit monter dans celui qui partait vers Annecy, m'installa et me posa sur les genoux mon baluchon. Il me l'avait enlevé et porté pendant tout le chemin.

Il descendit. L'autocar démarra.

Un paysan de la terre napolitaine venait de me faire le don de la vie – il ne m'avait pas livrée...

Et tandis que j'admirais le spectacle grandiose des

Alpes qui se déroulait devant moi, de nouveau la douce mélodie de la reconnaissance chanta en moi...

★

Je revins à Annecy et regagnai l'hôtel où je fus reçue fort aimablement par la patronne. Elle me remit une fiche de convocation, arrivée pendant mon absence : la préfecture m'informait d'avoir à retirer mon permis de séjour prolongé.

La Viennoise y habitait encore avec ses « deux hommes », comme elle appelait son père et son mari. Elle me mit au courant des faits du jour : la situation s'était sensiblement aggravée.

Ainsi, me racontait-elle, tous les réfugiés, sans exception, devaient, sur un ordre récent de Vichy, se présenter deux fois par jour à la police ; beaucoup de monde affluait des départements où les déportations sévissaient et les fuites vers la Suisse étaient de nouveau aussi fréquentes qu'en décembre.

À la préfecture, je pris place dans une file d'étrangers auxquels le fonctionnaire posait des questions d'identité, sans toutefois insister sur la race. Ceux qui n'avaient pas encore la mention raciste inscrite dans leurs papiers reçurent leur permis de séjour sans cette indication, omission fort importante pour les jours à venir !

Je me sentais, pour quelques semaines encore, à l'abri, bien que la menace se cachât dans l'ombre.

Des autos de plus en plus nombreuses circulaient, occupées par des Allemands. Ils descendaient dans un grand hôtel de la ville ; on les disait de la Gestapo. Ils avaient installé, en pleine rue Royale, un bureau de recrutement d'ouvriers français, où arrivaient des autobus remplis de jeunes gens. Des démonstrations avaient lieu parfois autour de ces voitures et des ouvriers, quasi prisonniers, s'en échappaient avec l'aide des passants.

Les vitrines de ce bureau exposaient des caricatures de propagande antisémite variées et tapageuses.

Mais extérieurement, le département semblait paisible sous le régime de l'occupation italienne.

À mon retour, j'eus tout le temps de flâner à Annecy et j'y faisais de fort curieuses trouvailles.

Au centre d'une place murmure un jet d'eau. Tout près, un petit pont des temps anciens, avec sa fine balustrade, ressemble à un jouet.

Une passerelle paraît enlevée à un décor de théâtre ; seuls, le vif courant du ruisseau et l'odeur pénétrante des herbes aquatiques en attestent la réalité. À l'angle de cette rue, une vieille église s'entoure de bâtisses vétustes.

Dans cette autre, s'élève une tour vermoulue et humide, aux étroites fenêtres : c'est une ancienne prison. L'on y enfermait encore des détenus il y a quelques années. Elle est maintenant désaffectée. Comme c'est heureux !

Je m'égare dans des ruelles, je traverse un passage très long et obscur sous d'antiques demeures ; j'éprouve un frisson dans le dos. Subitement, j'arrive sur le parvis ensoleillé d'une autre église. Dans un autre passage, une lampe électrique paraît un anachronisme dans ce milieu du Moyen Âge. Elle fait trembler sa lumière sous une voûte millénaire. De vieux escaliers montent en vrille. Gravissons ces marches. Elles sentent le moisi. Mais elles ne

mènent pas dans un logis sinistre ; arrêtés devant la porte
de chêne finement sculptée, frappons à l'aide du heurtoir
de bronze. Entrons... Le logis ressemble à un musée !

Le temps a respecté les couleurs claires du plafond ; le
plancher est une vraie mosaïque de marqueterie. On voit
au mur des tableaux, dans les vitrines de vieilles porce-
laines et des dentelles plus vieilles encore.

Je reprends ma promenade à travers Annecy : voici une
grille ancienne dont le fer forgé s'épanouit en fleurs entre-
lacées. Un vieux portail est entouré de bas-reliefs repré-
sentant des personnages de l'Écriture.

Beaucoup de boutiques, dans les vieux quartiers, ont
des enseignes sculptées sur bois ou peintes en couleurs.

La pureté du style de certains vieux hôtels captive l'attention.

La maison de François de Sales est encore toute peu-
plée du passé glorieux de ce saint, à la fois grand seigneur
et esprit hautement éclairé.

J'arrive maintenant au jardin de l'ancien Évêché, avec sa
belle pelouse. Je m'arrête pour contempler un acacia millénaire paré de fleurs blanches. En face, se dresse son voisin,
l'acacia rose. Ce sont deux vieux compagnons du même
âge ; le tapis diapré de leurs pétales mêlés recouvre le sol et
l'eau dormante d'un petit ruisseau qui n'aboutit nulle part.

Je m'assieds sur un banc moussu, à l'ombre d'un chêne
vigoureux, et je regarde les enfants de France qui tournent
gracieusement en chantant :

> *Nous n'irons plus aux bois,*
> *Les lauriers sont coupés...*

★

Pendant ce temps, les événements suivaient leur cours. Mon second visa se trouvait à son tour périmé.

M. Marius, au courant de l'échec de ma seconde tentative de fuite, se rendit au consulat de Nice et y apprit que mon laissez-passer, renouvelé pour la troisième fois, devait être retiré au consulat d'Annemasse.

En même temps, j'étais informée par mes amis de Suisse qu'ils avaient obtenu la dernière prolongation et qu'il leur serait impossible, dorénavant, de faire une nouvelle demande.

Je me trouvais, du jour au lendemain, devant cette alternative bouleversante : courir le risque de n'avoir plus de visa ou bien celui d'une troisième tentative de fuite.

Sur ces entrefaites, M. Marius, sans crier gare, survint. Il s'était octroyé quarante-huit heures de congé pour effectuer un voyage de trente-quatre heures, qu'il considérait comme sa mission envers moi.

Il me narra l'horreur des événements survenus dans les Alpes-Maritimes depuis mon départ de Nice et me dit :

— Je suis un homme sans instruction ni savoir... Excusez ma présomption : je vous dis, il est inutile et dangereux d'attendre. Il vaut mieux tenter une nouvelle fuite que de rester sous une telle domination ! Malheur de malheur ! Ce que j'ai vu ! Je ne vous dis qu'une chose : partez, madame !

Je lui fis les honneurs d'Annecy.

Il trouva la ville petite et le lac très beau, « mais cela ne valait pas une mer ».

Il envoya une demi-douzaine de cartes postales à des parents et à des amis de Nice. Il riait sous cape de leur étonnement à la nouvelle de son escapade extraordinaire : c'était le premier voyage de sa vie de labeur !

Il éprouva très vite une nostalgie violente de sa femme, de son commerce bourdonnant et surtout de son soleil niçois !

— Dites ce que vous voulez, répétait-il, ce n'est pas ici le même soleil que chez nous.

De retour à Nice, il m'envoya une carte pour me dire « que le monde était bien beau, mais que rien n'était aussi beau que son petit chez-soi ».

★

Dans l'histoire de la France pendant les années de l'occupation, les pages consacrées à la Savoie compteront parmi les plus altières et les plus glorieuses.

Car ce qui était le plus beau dans ce pays si beau – c'était l'attitude du Savoyard.

Tout le pays gardait son esprit d'indépendance et continuait à prodiguer aide et hospitalité à ceux qui affluaient de plus en plus nombreux pour s'y réfugier.

Le maquis se remplissait de réfractaires, venus de tous les coins de France, les maisons particulières cachaient des persécutés.

La Gestapo et la Milice arrivaient en même temps, s'installant partout.

Ce qui se passait dans d'autres départements laissait prévoir que l'occupation italienne serait d'un jour à l'autre remplacée en Savoie par les autorités allemandes.

L'emprise de Vichy allait en augmentant...

En mai 1943, un groupe de réfugiés était allé faire acte de présence, comme d'habitude, à la police. Il fut appréhendé à l'improviste et incarcéré dans les caves de la mairie, en attendant les instructions de Vichy.

La Viennoise fut avertie ; son mari et son père se trouvaient parmi les arrêtés. Affolée, elle courut à la mairie, à la préfecture, à la gendarmerie et revint en larmes à la mairie... Un fonctionnaire français, ne voyant pas de secours possible, lui conseilla d'avoir recours à l'ultime moyen : faire appel à la protection des occupants italiens.

Elle se rendit à l'hôtel où siégeait la commission. Après lui avoir demandé d'attendre, le commandant monta dans sa voiture, se rendit à la préfecture et donna l'ordre de mise en liberté immédiate de tous les détenus. On s'exécuta avec empressement. À la suite de ce succès, la Viennoise fut appelée « l'ambassadrice ». Et plus d'une fois elle présenta les requêtes des prisonniers, des libérés et des fugitifs.

Elle ne manquait certes pas de ressources.

Assise un après-midi près du lac, j'aperçus une jeune femme dont les traits m'étaient familiers. Lorsqu'elle arriva devant moi, je reconnus – la Viennoise ! Mais combien changée ! Svelte, marchant sur de hauts talons, elle ne portait plus aucune trace de grossesse...

— Mes félicitations ! Est-ce un garçon ou une fille ? lui demandai-je lorsqu'elle s'assit à côté de moi.

— Si j'avais dû accoucher, c'eût été fait depuis bien longtemps, répondit-elle en riant. Non, non, en vérité, je n'étais pas enceinte du tout ! Le médecin du camp, un bon Français – que de malheureux a-t-il sauvés à cette époque! –, m'avait établi un certificat de grossesse pour m'éviter la déportation. Quant au reste, c'était l'effet d'une excellente ceinture, monument désormais superflu.

J'étais sidérée.

Ce subterfuge n'était qu'un exemple des mille et un moyens essayés pour échapper aux persécutions.

En mai, la police locale fut obligée, par ordre de Vichy, d'apposer sur les papiers des Français et des étrangers de religion ou d'origine juive la mention *Juif*.

Il fallait fuir, coûte que coûte, avant que ce signe ne rendît tout déplacement impossible.

La solution du sauve-qui-peut redevenait la seule issue.

Au consulat suisse d'Annemasse, j'appris que le visa annoncé n'était pas encore parvenu.

Je recommençai à me cacher.

XV

VERS LA SUISSE

Huit jours plus tard, le visa prolongé arriva... Il avait, en effet, la validité d'un mois en tout !

Encore une fois je reçus les instructions indispensables. Je devais, avant tout, me retirer incessamment au couvent pour ne pas être atteinte par la milice qui allait entreprendre des rafles.

Disposant de papiers d'identité encore sans indication de race, je pouvais circuler sans danger imminent.

Du couvent, je me rendis à sept heures du soir à l'auberge désignée. Là, je demandai le douanier H.

Originaire du hameau E., suspecté, mais sans preuves encore, d'avoir favorisé la fuite de réfractaires, le douanier, malgré sa situation compromise, ne cessait de se dévouer.

Il était déjà averti de ma venue.

Homme gai et affable, il me reçut avec bonne humeur.

Il me présenta à l'aubergiste comme une amie de sa femme venant passer chez eux un mois de vacances.

— Ah ! voilà, c'est comme ça, dit la patronne d'un ton qui me parut par trop convaincu.

Le douanier m'offrit à manger et à boire. Je m'aperçus qu'il jouissait en ce lieu d'une réelle popularité. De la façon dont on me servait, je compris qu'ici encore, comme dans la plupart des maisons savoyardes, on connaissait « la situation » et que la sympathie était acquise à M. H. et à ses protégés.

Cependant, lorsque deux gendarmes entrèrent et s'installèrent pas loin de nous, je perdis toute mon assurance. Bientôt je dus constater que ces deux gaillards m'ignoraient ostensiblement : ils s'approchaient de notre table pour échanger des propos avec des convives, me frôlaient presque, sans me voir.

Je soufflai au douanier que je me sentais mal à l'aise ; il répondit que nous devions encore attendre son fils. « Un futur bachelier ! » ajouta-t-il avec fierté. Celui-ci arriva quelques minutes après.

C'était un garçon de seize à dix-sept ans, ombrageux, portant une casquette d'écolier rabattue sur les yeux, des livres sous le bras. Il se montrait hautain et avait l'air de dédaigner l'entourage. Il fit signe et nous nous levâmes.

On partit.

Chemin faisant, j'entendais l'écolier chuchoter avec son père. Celui-ci semblait se défendre. Le fils grommelait :

— Tu verras la tête de maman.

— C'est fait, alors c'est fait, répondit le père catégoriquement.

Nous avions sept kilomètres devant nous et nous marchions le long des fils de fer barbelés. Le douanier m'y montrait l'emplacement de portillons, pratiqués en certains endroits et par lesquels les populations frontalières savoyarde et suisse communiquaient régulièrement. Fermés la nuit au cadenas et ouverts le jour, ils avaient servi à maintes fuites et ils étaient l'objet de la plus sévère surveillance des soldats allemands, italiens, et des miliciens français.

Le douanier prononçait le mot « milice » d'une façon très spéciale, avec une nuance de profond mépris.

Je m'étais plusieurs fois aperçue que ce terme avait pour bien des Français, déjà à cette époque, un sens fort péjoratif.

Le gendarme qui participa à notre transfert à la maison d'arrêt, avait dit : « Nous ne sommes pas de la milice, nous autres. » Un autre ponctua : « J'espère que personne ne nous prend ici pour ceux de la milice ! »

Je n'avais pas alors compris toute la profondeur de cette distinction.

La femme du douanier me reçut sans empressement, ce dont je ne pouvais pas lui tenir rigueur puisque son mari était déjà compromis et en danger.

Le futur bachelier boudait visiblement. Il se jeta à corps perdu dans une discussion, qu'il avait provoquée. Il reprochait à son père ses opinions anti-allemandes, son manque de prudence et d'opportunisme.

Je passai une nuit d'insomnie sous ce toit, dans l'inquiétude du lendemain. Pour m'encourager, je me disais que le passage en Suisse, en plus de mon sauvetage, me faciliterait mes relations avec ma mère et tous les miens.

Je forgeais de vastes projets...

Le jour commençait à poindre : une belle journée de juin radieux.

*

La femme du douanier avait hâté de me voir partir et
elle m'accompagna un bout de chemin.

Nous marchions sur une éminence, et je pouvais voir
en contre-bas la route nationale, le long de laquelle des
réseaux de barbelés, particulièrement denses dans cette
région, s'étendaient à l'infini.

Je discernais mieux maintenant, à la lumière du jour,
les emplacements des portillons, mais aussi les sentinelles
postées tous les deux ou trois cents mètres, vêtues de vert,
plume au chapeau, fusil à la bretelle – des Italiens! Ils se
tenaient debout, adossés à un arbre, assis sur le talus, ou
faisaient les cent pas.

À proximité d'un viaduc, je me séparai de Mme H. Je
devais maintenant prendre la route nationale et trouver
un passage entrouvert.

M'acheminant pour la troisième fois vers une passe
dangereuse, je savourais pourtant toute la douceur de
l'heure matinale.

Douloureusement oppressée par la séparation toute
proche, je faisais mes adieux aux montagnes, aux prairies
et aux champs, au village paisible, à ce vaste horizon, à la
France.

La tristesse de devoir franchir ses frontières en fraude,
comme une malfaitrice, m'envahissait.

Pour me donner du courage, je me remémorai toutes
les souffrances, presque surhumaines, que j'avais sup-
portées, mais en même temps le terrible malheur de la

France et son asservissement sans limite s'imposèrent à ma conscience.

Soudain, un sentiment naquit et grandit en moi – la nostalgie déchirante de ce pays que j'allais quitter.

. . . .

Sur le bord de la route, un paysan était en train de couper de l'herbe.

— Beau temps, lui dis-je en déposant mon baluchon à mes pieds et en m'épongeant le front.

— Ben oui, il fait beau temps, répondit-il.

— Dites, mon ami, le portillon est-il ouvert? lui soufflai-je à brûle-pourpoint.

Sans interrompre son travail, il s'éloigna et revint tranquillement.

— Il est ouvert, mais il a plu ces temps-ci, et il a l'air de coincer, fit-il, sans lever la tête.

« Que faire? » songeais-je, et je sentais monter en moi la panique.

« Irai-je? » Je le demandai au paysan, cherchant un encouragement suprême.

— Allez-y! Mais faites vite... Courage!

Et continuant sa besogne, il s'écarta de nouveau de quelques pas.

« Maintenant ou jamais! » me cria une voix, celle de toute ma volonté tendue à l'extrême, et je me précipitai.

Le portillon coinçait bel et bien.

Je le secouai de toutes mes forces.

Instinctivement, un regard furtif vers la sentinelle...

Un soldat italien accourait dans ma direction!

Alors, sans réfléchir, dans un état de fièvre, j'enjambai gauchement l'obstacle – et je me jetai de l'autre côté!

Dans ma chute, les fils de fer barbelés s'accrochèrent à mes vêtements. Je tombai sur le sol...

Presque aussitôt un coup de feu retentit.

. . . .

De nouveau un soldat arrivait vers moi en courant lui aussi – fusil en main!

Par terre, étourdie, je l'attendais avec résignation.

— Levez-vous, madame, vous n'êtes pas blessée. J'ai vu l'Italien tirer en l'air, fit en français le soldat en m'aidant à me mettre sur pied.

— Où suis-je?

— Mais, voyons! Vous êtes en Suisse, à ce qui me paraît.

Alors seulement je compris et je fus saisie d'une émotion qui me submergea : joie, espoir, immense soulagement...

J'étais en Suisse, j'étais sauvée!

J'avançais tout en étanchant le sang qui coulait abondamment de mes jambes et de mes mains. J'essayais en même temps de mettre un peu d'ordre dans mes vêtements déchirés.

Subitement, ma tension céda.

Je pleurais... Doucement, mes larmes si longtemps retenues commencèrent à couler... Ce fut comme une source chaude qui inondait mon visage. J'avalais cette eau amère et mes pleurs m'allégeaient d'un poids écrasant.

Discrètement, le soldat suisse marchait devant moi, portant le lamentable baluchon, compagnon de mes fuites successives qui contenait tout ce que j'avais emporté de France, hormis un cœur désolé et fatigué à mort...

FIN

CHRONOLOGIE

14 juillet 1889 – Naissance de Frymeta Idesa Frenkel, dite Françoise Frenkel, à Piotrków dans la région de Łódź, en Pologne.

Avant 1914 – Paris. Études de lettres à la Sorbonne.

1919 – Stage dans une librairie de la rue Gay-Lussac.

1921 – Françoise Frenkel fonde avec son mari Simon Raichenstein la première librairie française de Berlin : « La Maison du Livre[1] ».

1933 – En novembre, Simon Raichenstein s'exile en France. Françoise Frenkel assume désormais seule la responsabilité de la librairie.

Juillet 1939 – Françoise Frenkel quitte Berlin quelques jours avant la déclaration de guerre et s'installe à Paris où elle séjourne neuf mois[2].

28 mai 1940 – Elle fuit Paris pour la zone sud et confie la veille sa malle au garde-meuble du Colisée et des Champs-Élysées.

Décembre 1940 – Arrivée à Nice. Février 1941, elle prend une chambre à l'hôtel La Roseraie.

Juillet 1942 – Simon Raichenstein est raflé à Paris. Il est déporté le 24 juillet au départ de Drancy, et meurt le 19 août à Auschwitz-Birkenau, Pologne[3].

26 août 1942 – Rafle à Nice et en zone sud. Françoise Frenkel trouve refuge chez « Marius », salon de coiffure (12, rue Saint-Philippe, entre la rue de France et la Promenade des Anglais).

14 novembre 1942 – La Gestapo confisque sa malle entreposée depuis deux ans au garde-meuble du Colisée.

Décembre 1942 – Françoise Frenkel quitte Nice et tente de passer en Suisse. Elle est arrêtée et incarcérée à Annecy. Elle est jugée et acquittée.

Juin 1943 – Françoise Frenkel franchit clandestinement la frontière franco-suisse. Elle entreprend la même année la rédaction de *Rien où poser sa tête*.

Septembre 1945 – *Rien où poser sa tête* est publié aux Éditions Jeheber (Genève).

Fin 1945 – Probable retour de Françoise Frenkel à Nice.

1958 – Françoise Frenkel fait une demande d'indemnisation pour la saisie de sa malle par la Gestapo.

18 janvier 1975 – Décès de Françoise Frenkel à Nice.

---

1. Voir Corine Defrance, « La "Maison du Livre français" à Berlin (1923-1933) et la politique française du livre en Allemagne » *in* Hans-Manfred Bock, Gilbert Krebs, *Échanges culturels et relations diplomatiques : présences culturelles à Berlin au temps de la République de Weimar*, Presses de la Sorbonne nouvelle, 2005.
2. En 1959, lors de sa demande d'indemnisation, elle datera son arrivée de « la première moitié du mois de juillet 1939 », voir document en annexe, p. 281. Dans son récit, Françoise Frenkel donne une autre date : le 27 août 1939.
3. Inscrit sur le Mur des noms du Mémorial de la Shoah à Paris.

DOSSIER

« L'affluence croissante de la clientèle me fit envisager un agrandissement et la librairie s'installa dans le quartier mondain de la capitale » (p. 27).

Le numéro 39a Passauerstrasse où se trouvait La Maison du Livre n'existe plus. Elle était située à gauche de l'immeuble Art nouveau blanc. À son emplacement sont installés aujourd'hui les bâtiments du grand magasin KaDeWe, bombardés en 1943 et reconstruits et agrandis en 1950.

La Maison du Livre est la première librairie française de Berlin. Ouverte en 1921, elle est dirigée par Françoise Frenkel et son mari, Simon Raichenstein. Comme elle, il a fait ses études à Paris avant la Première Guerre mondiale, d'abord à l'École supérieure d'aéronautique en 1913, puis à l'École spéciale de mécanique et d'électricité.

Initialement installée Kleiststrasse 13, la librairie déménage ensuite Passauerstrasse 27, puis au 39a, au croisement des districts de Charlottenburg, Schöneberg et Wilmersdorf où elle devient le passage presque obligé des écrivains français de l'entre-deux-guerres. Jules Chancel rapporte que « Mme Raichenstein [...] a voulu créer dans sa librairie un centre de pensée française[1] ».

En 1933, dans un document émanant du Service des œuvres françaises à l'étranger, on apprend que, cette même année, l'ambassade de France rejette « une demande de subvention extraordinaire » pour La Maison du Livre, menacée de dépôt de bilan « en raison des événements[2] ». Une lettre d'Henri Jourdan de l'Institut français rapporte cependant que si la « dame » de la librairie a été « boycottée » ce n'est pas « comme juive » mais bien parce qu'on « lui reproche de diffuser de la pensée française[3] ». Le 10 mai 1933, Simon Raichenstein obtient un passeport Nansen[4]. Il quitte définitivement Berlin pour Paris le 9 novembre.

Françoise Frenkel dirige seule La Maison du Livre pendant cinq ans. À l'été 1939, du jour au lendemain, elle laisse sa librairie et son appartement « en l'état[5] » et s'exile à Paris.

1. Jules Chancel, *Dix ans après : un mark = six francs*, Fayard, 1928, p. 166-167.

2. SOFE (Service des œuvres françaises à l'étranger), vol. 269, notice manuscrite « Raichenstein », sans date. MAE/La Courneuve.

3. Archives du ministère des Postes, ambassade de France à Berlin, 1915/1939, série B, vol. 463, note de l'Institut français de Berlin du 15 avril 1933 sur l'état actuel des œuvres françaises à Berlin. MAE/Nantes. Correspondance citée par Corine Defrance, *op. cit.*

4. Du nom de son initiateur Fridtjof Nansen, Haut commissaire pour les réfugiés à la S.D.N. Créé en juillet 1922, le passeport Nansen est un document d'identité et de voyage destiné aux réfugiés et apatrides.

5. Voir « attestation sur l'honneur », ci-après p. 280.

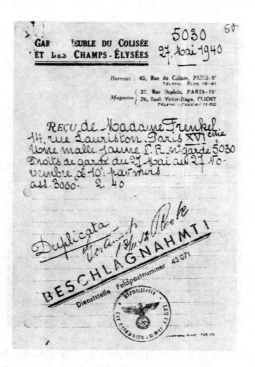

« Or, cette malle, si miraculeusement rescapée, avait été confisquée par les Allemands à Paris même, sous le prétexte racial. Le garde-meuble venait précisément de m'en aviser par carte postale à mon retour en Avignon » (p. 80).

Reçu du garde-meuble du Colisée et des Champs-Élysées pour la malle de Françoise Frenkel, daté du 27 mai 1940. Tampon postérieur de saisie de l'armée allemande apposé en 1942.

Ce reçu figure parmi des pièces du dossier d'indemnisation déposé par Françoise Frenkel après la guerre.

*« L'hôtel La Roseraie aurait dû s'appeler l'Arche de Noé.
Il logeait des rescapés de nationalités et de classes sociales les
plus diverses. C'était un monde fort disparate qu'unissait
l'attente commune de la paix »* (p. 108).

La Roseraie, 10, avenue Depoilly à Nice, aujourd'hui. Une voie
sans issue bordée de villas Belle Époque. Françoise Frenkel y
demeure du mois de février 1941 au 26 août 1942.

« *J'inspectai l'avenue, les ruelles, les maisons, les boutiques, les villas, cherchant instinctivement un abri. Mon regard s'arrêta sur une devanture : Marius – Salon de coiffure* » (p. 123).

Annuaire officiel des abonnés au téléphone du département des Alpes-Maritimes, édition de 1941, où l'on retrouve les coordonnées de Marius, salon de coiffure, 12, rue Saint-Philippe, tel. 856.76.

FRANÇOISE FRENKEL

RIEN OÙ POSER SA TÊTE

GENÈVE
Edition J.-H. Jeheber S. A.
6, rue du Vieux-Collège, 6

En France : Edition Jeheber, Annemasse (Haute-Savoie)

Page de titre de l'édition originale de *Rien où poser sa tête*, 1945.

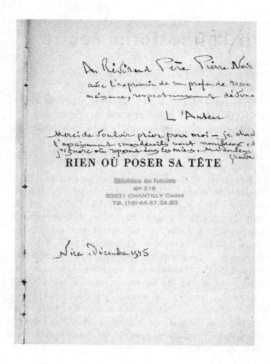

Envoi autographe signé de Françoise Frenkel au père Noir sur un exemplaire de *Rien où poser sa tête*.

« Au Révérend Père Pierre Noir, avec l'expression de sa profonde reconnaissance, respectueusement dévouée, L'Auteur. Merci de vouloir prier pour moi – je cherche l'apaisement : mes deuils sont nombreux et j'ignore où reposent tous les miens. Ma douleur est grande. Nice. Décembre 1945. » (Bibliothèque municipale de Lyon, cote : SJ B755/61.)

La dédicace laisse supposer que Françoise Frenkel est revenue vivre à Nice dès la fin 1945.

Publications reçues

Françoise FRENKEL: *Rien où poser sa tête*. Edit.
J.-H. Jeheber S. A. Genève.

Les récits dont l'action se situe dans le cadre
de la guerre ont entre eux une tragique parenté.
C'est pourquoi, en lisant « Rien où poser sa
tête », on pense à « Je suis une vraie Norvégienne », malgré la différence des personnages
et des situations.

Françoise Frenkel, d'origine polonaise, était
directrice d'une librairie française, à Berlin,
lorsque les événements de 1939 l'obligèrent à
fuir. Ne pouvant gagner sa patrie, elle se réfugia
en France, à Paris, où elle avait fait ses études.
Mais bientôt l'exode l'entraîna vers le Midi. A
partir de ce moment, les péripéties se succèdèrent
vécues douloureusement, « sans rien où poser sa
tête... » Pourtant de lumineux rayons se glissent
parmi les images de misère, et nous en savons
gré à l'auteur. Pas de plaintes, des faits rap-
portés avec décence et mesure, d'une manière très
vivante. Françoise Frenkel ne serait-elles pas
une des « héroïnes inconnues » ?　　R. G.

Article publié dans *Le Mouvement féministe : organe officiel des
publications de l'Alliance nationale des sociétés féminines suisses* en
1946.

La seule recension connue du livre.

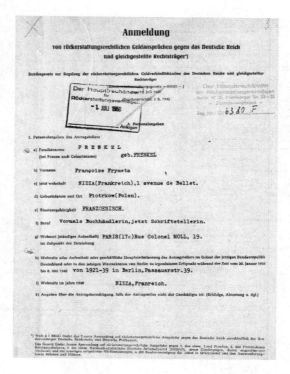

« Ma grande malle rescapée de Berlin confiée à un garde-meuble parisien » (p. 60).

Formulaire de demande d'indemnisation de Françoise Frenkel, daté de 1958.

Nationalité : française; profession : anciennement libraire, écrivain; adresse : 1, avenue de Bellet, Nice; adresse au moment des faits : 19, rue du Colonel-Moll, Paris, 17ᵉ arrondissement; objet de la demande : perte de bagages (voir liste jointe); motif : saisie par la Gestapo.

Jochen Klaus SCHAEFER, Rechtsanwalt und Notar,
7, Waitzstrasse Berlin Charlottenburg 2.

14. November, 1942.

PARIS(8e). Rue Colisée 45.

Beschlagnahme durch die Gestapo.

nein.

nein.

z.Zt. BERLIN.   28. Juin 1956

Anlage zur Anmeldung von Rückerstattungsrechtlichen Ansprüchen gegen
das Deutsche Reich (zu B. 6) Frau Witwe F. FRENKEL geb. FRENKEL,
wohnhaft in NIZZA/Frankreich, z. Zt. Berlin.

INHALTSVERZEICHNIS

des Maedlerkoffers, beschlagnahmt von der GESTAPO in PARIS am 14. November
1942 (aus Rassengründen), laut Bestätigung der Firma Garde-Meubles du
Colisée in PARIS, 45 rue du Colisée (Lagerhaus).-

1)	ein Maedler-Rohrplattenkoffer mit Messingringen, innen Schubladen und 3 Abteilungen . . . . DM.	345,00
2)	ein NUTRIAPELZMANTEL dreiviertellang (Herpich Söhne). .	1.800,00
3)	ein Kostüm, Massarbeit ; ; ;	225,00
4)	ein Mantel mit Opossumkragen, Massarbeit	200,00
5)	zwei Wollkleider nach Mass, je 150.-	300,00
6)	ein schwarzer Regenmantel	45,00
7)	eine Halskette (Bernstein)	50,00
8)	ein Morgenrock Fa. Grünfeld	25,00
9)	drei Nachthemden mit Stickerei Fa. Grünfeld, je 25.- . .	75,00
10)	drei Nachthemden mit Stickerei Fa. Grünfeld, je 30.- . .	90,00
11)	zwei Unterkleider, Kunstseide je 25.-	50,00
12)	ein Unterkleid, Kunstseide	40,00
13)	ein Regenschirm	22,00
14)	ein Sonnenschirm 'en tout-cas'	32,00
15)	drei Paar Lederschuhe (Stiller) je. 25.-	75,00
16)	eine Handtasche	35,00
17)	eine Aktenmappe	50,00
18)	ein Tauchsieder	12,00
19)	ein Heizkissen	18,00
20)	eine Daunendecke	230,00
21)	dazu frei bunte Ueberzüge à 35.-	105,00
22)	eine neue Erika-Portable Schreibmaschine	400,00
23)	eine neuwertige Universal-Portable Schreibmaschine	350,00
24)	die in den Ziehkästen und Schubladen befindlichen Handschuhe, Strümpfe, Spitzenkragen, Taschentücher usw. usw. . . ca.	300,00

Total : ... 4.874,00 DM

Inventaire et estimation du contenu de la malle de Françoise
Frenkel, annexé au formulaire de demande d'indemnisation de
1958.

En juillet 1959, Françoise Frenkel séjourne à Berlin pour compléter son dossier d'indemnisation. Elle dépose devant notaire l'attestation sur l'honneur reproduite ici. Elle obtient en 1960 de la République fédérale d'Allemagne réparation pour un montant de 3 500 DM.

- 2 -

einer eidesstattlichen Versicherung und wies sie auf die Straf-
barkeit nach den Bestimmungen des Aufenthalts- und des Heimat-
landes für den Fall der Abgabe einer vorsätzlich oder fahrlässig
falschen eidesstattlichen Versicherung hin.

Hierauf erklärte die Erschienene folgendes:

Im Juli 1939 mußte ich wegen rassischer Verfolgung Berlin verlassen und mich in das Ausland begeben. Ich besaß damals die
polnische Staatsangehörigkeit, und mir drohte wegen meiner jüdischen Abstammung sowieso die Zwangsausweisung. Ich wäre unter die Aktionen gegen die jüdischen Polen gefallen. - Ich erhielt von dem französischen Konsulat eine entsprechende War-
nung, da ich eine französische Buchhandlung unter dem Namen
MAISON DU LIVRE betrieb. Ich habe damals meine Buchhandlung
und auch meine Wohnung verlassen, wie sie waren, und mich nur
darauf beschränkt, das Notwendigste, das heißt persönliche Ge-
genstände in einem Koffer mitzuführen. Dieser Maedler-Koffer
hatte den Inhalt, den ich auf einer besonderen Liste angege-
ben habe. Dieser Koffer stellte also mein Umzugsgut dar.

Es gelang mir durch die Unterstützung meines Mitarbeiters,
Herrn Roland Weimar, den Koffer nach Paris aufzugeben, und
dort fand ich ihn nach meiner Ankunft wieder vor, und zwar
am Bahnhof. Ich kam in Paris in der ersten Juli-Hälfte 1939
an. Ich wohnte bei Freunden in Paris und hatte dort meinen
Koffer untergestellt.

Als dann im Laufe des deutsch-französischen Krieges Paris von
den deutschen Truppen bedroht wurde und der Kommandant von Paris alle Frauen und Kinder zum Verlassen der Stadt aufforderte,
fühlte auch ich mich veranlaßt, dieser Aufforderung Folge zu
leisten. Wenn ich auch inzwischen die französische Staatsangehörigkeit erworben hatte, so mußte ich doch wegen meiner jüdischen Abstammung und früheren polnischen Staatsangehörigkeit
die deutschen Truppen fürchten. Ich verließ also am 28. Mai
1940 Paris, nachdem ich am Tage zuvor, am 27. Mai 1940, bei
dem Lagerhaus GARDEMEUBLE du Colysée, 45 rue Colysée, Paris 8e,
den Koffer eingelagert hatte. Ich begab mich dann nach Süd-
frankreich.

Im Herbst 1942, und zwar im November erhielt ich von dem

- 3 -

Lagerhaus ein Schreiben, das mir von meinen französischen Freunden aus Paris nach Nizza nachgesandt worden war und in welchem
mir mitgeteilt wurde, daß dort lagerndes jüdisches Eigentum von
der deutschen Besatzungsmacht beschlagnahmt werden sollte. Ich
wurde angefragt, ob ich die Möglichkeit hätte nachzuweisen, daß
ich "arisch" sei, um mein Eigentum vor einer derartigen Beschlagnahme zu bewahren. Ich habe dieses Schreiben nicht beantwortet,
weil ich jüdischer Abstammung bin und dadurch keine Aussicht be-
stand, eine Beschlagnahme des Koffers zu verhindern. Bei dieser
Aktion in Paris hat es sich um eine allgemeine Aktion der Nazi-
Behörden gegen jüdisches Eigentum gehandelt, und ich schließe
daraus, daß meine Sachen mit denen anderen Juden in das Gebiet
des ehemaligen Deutschen Reiches verbracht worden sind.

Wegen dieses Verlustes habe ich von keinem Staat, insbesondere
weder von Frankreich noch von Polen irgendeine Entschädigung er-
halten. Als ich nämlich diesen Schaden zunächst als Kriegsschaden bei einem französischen Amt anmelden wollte, hat man mir eine
Entschädigung versagt mit der Begründung, daß es sich dabei nicht
um einen üblichen Besatzungs- oder Kriegsschaden gehandelt habe,
sondern um eine besondere Aktion gegen die Juden.

Die Richtigkeit vorstehender Angaben versichere ich an Eides
Statt. Nach gewissenhafter Prüfung ist mir nichts bekannt, was
der Richtigkeit meiner Angaben entgegensteht.

Ich beantrage, mir eine Ausfertigung - für die Wiedergutmachungs-
ämter -, eine beglaubigte Abschrift - für den Senator für Inneres Finanzen -
sowie mir eine einfache Abschrift zu erteilen.

Das Protokoll ist in Gegenwart des Notars mit den Ergänzungen
und Berichtigungen vorgelesen, von der Beteiligten genehmigt und
eigenhändig unterschrieben worden:

                gez. Frymeta Francoise F r e n k e l geb. Frenkel
                       gez. S c h a e f e r , Notar

Kostenrechnung
Kostenordnung v. 26. 7. 57
Geschäftswert: 4.500,-- DM
Gebühr §§ 32, 49   30,-- DM
Umsatzsteuer   1,20 "
                zusammen 31,20 DM
                gez. Schaefer, Notar

- 4 -

Vorstehende, in die Urkundenrolle für das Jahr 1959 unter
Nummer 90 eingetragene Verhandlung wird hiermit für Frau
Prymeta Francoise P r e n k e l geborene Frenkel, zur
Zeit Berlin-Charlottenburg, Giesebrechtstraße 11, ausge-
fertigt.

Berlin, den 4. Juli 1959

                              N o t a r

JOCHEN KLAUS SCHAEFER

NOTAIRE

BERLIN-CHARLOTTENBURG 4, WAITZSTRASSE 7

Berlin, le 3 juillet 1959

S'est présentée aujourd'hui devant notaire, Mme Frymeta Francoise Frenkel, née Frenkel – connue personnellement du notaire –, demeurant à Nice, Alpes-Maritimes, France, 1, avenue de Bellet, actuellement résidente à Berlin-Charlottenburg, Giesebrechtstrasse 11, pension Florian, et qui a affirmé vouloir déposer devant les services administratifs de réparation de Berlin une attestation sur l'honneur dans le cadre d'une procédure relevant de la loi fédérale d'indemnisation, en complément du dossier n° 62 WGA 1280/57.

Le notaire lui a expliqué les modalités d'une attestation sur l'honneur et lui a indiqué qu'elle était passible d'une sanction selon les lois du pays de séjour et d'origine en cas de déposition erronée, qu'elle soit intentionnelle ou commise par imprudence dans le contexte d'une attestation sur l'honneur.

Après quoi, la personne ici présente a déposé l'attestation suivante :

En juillet 1939, j'ai dû quitter Berlin en raison des persécutions raciales en vigueur et me suis rendue à l'étranger. Je possédais la nationalité polonaise et l'expulsion forcée me guettait du fait de mes origines juives. J'étais visée par les actions contre les Polonais juifs. Compte tenu du fait que je dirigeais une librairie française nommée « La Maison du Livre », le consulat français m'alerta. J'ai laissé ma librairie ainsi que mon appartement en l'état, je me suis limitée à prendre le strict nécessaire, à savoir des effets personnels placés dans une malle. Le contenu de cette malle, de la marque « Mädler », est décrit dans une liste séparée. Elle a constitué tout mon déménagement.

Grâce au soutien de mon employé, M. Roland WEIMAR, je pus faire parvenir la malle à Paris et la récupérai à mon arrivée à la gare. J'ai gagné Paris pendant la première moitié du mois de juillet 1939. J'y ai habité chez des amis chez qui j'ai entreposé la malle.

Lors de la guerre entre la France et l'Allemagne, quand les troupes allemandes menacèrent Paris, le Commandant de la place de Paris pria toutes les femmes et enfants de quitter la ville. Je décidai d'obtempérer. Si j'avais entre-temps obtenu la nationalité française, je redoutais tout de même les troupes allemandes, du fait de mes origines juives et de ma nationalité polonaise. Je quittai ainsi Paris le 28 mai 1940, après avoir déposé la malle la veille, le 27 mai 1940, au garde-meuble du Colisée, sis 45, rue du Colisée, 75008 Paris. Je suis partie ensuite pour le sud de la France.

À l'automne 1942, en novembre, j'ai reçu à Nice un courrier du garde-meuble, envoyé par mes amis français de Paris, dans lequel on m'informait de la saisie prochaine de biens juifs par les forces d'occupation allemandes. Il m'était demandé de prouver, si j'en avais la possibilité, que j'étais « aryenne » afin de protéger mes biens d'une telle saisie. Je n'ai pas répondu à ce courrier car je suis d'origine juive, et n'avais donc aucune chance d'échapper à la saisie de la malle. Cette action menée à Paris faisait partie d'une action générale menée par l'administration nationale-socialiste contre les biens juifs et j'en conclus que mes affaires, avec celles d'autres juifs, ont été emportées sur le territoire de l'ancien Reich allemand.

Pour cette perte je n'ai reçu aucune indemnisation, d'aucun État, et notamment pas de la France pas plus que de la Pologne. Quand j'ai voulu d'abord déclarer cette perte comme dommage de guerre aux autorités françaises, on m'a refusé une indemnisation en justifiant qu'il ne s'agissait pas d'un dommage de guerre

ou consécutif à l'Occupation, mais d'une action menée spécifi-
quement contre les juifs.

Je certifie la véracité de cette attestation sur l'honneur. Après
relecture, je ne trouve rien qui contrevient à la véracité de mes
déclarations.

Je demande que soient établis : un exemplaire destiné aux
services administratifs de réparation, une copie certifiée pour le
sénateur des finances, ainsi qu'une simple copie pour moi.

Le protocole a été lu en présence du notaire, avec les ajouts
et corrections, validé par les parties concernées et signé de leurs
propres mains.

Signé Frymeta Françoise FRENKEL née Frenkel
Signé SCHAEFER, notaire

La présente attestation, enregistrée dans les actes notariés pour
l'année 1959 sous le numéro 90, est établie pour Mme Frymeta
Françoise FRENKEL née Frenkel, demeurant actuellement à
Berlin-Charlottenburg, Giesebrechtstrasse 11.

Berlin, le 4 juillet 1959

Attestation de M. Weymar, adressée de Buenos Aires, Argentine, le 30 juillet 1959 et annexée au dossier de demande d'indemnisation, juillet 1959.

« Ma mère, ma femme et moi-même étions amis avec Mme Françoise Frenkel. En 1939, devant la menace de déportation, elle fut amenée à fuir de Berlin et se rendit à Paris. Mme Frenkel emballa ses affaires personnelles et ses machines à écrire dans une malle de la marque "Mädler". J'acheminai cette malle à la gare du Zoo et l'ai portée aux services d'expédition. J'ai confié le bordereau d'expédition à Mme Françoise Frenkel. Je jure sur l'honneur que ces déclarations sont vraies. Roland Weymar. »

La dernière adresse de Françoise Frenkel : Villa Tanit, 5, rue Alexandre-Dumas à Nice.

REMERCIEMENTS

Tous nos remerciements vont à ceux et celles qui ont permis que cette édition voie le jour.

À Patrick Modiano pour l'intérêt qu'il a porté à ce projet et pour la préface qu'il lui a offerte.

À Frédéric Maria pour nous avoir fait découvrir ce livre et pour le dossier inédit qui l'éclaire.

À Michel Francesconi, qui trouva un exemplaire de Rien où poser sa tête *dans un vide-greniers de Nice et fut le premier à le lire et à le partager.*

À Valérie Scigala qui, sur son blog, fit réapparaître le nom de Françoise Frenkel sur la toile.

À Élisabeth Beyer, directrice du Bureau du Livre de Berlin pour nous avoir offert son soutien amical et constant.

À Sébastien Cadet, au Centre d'indemnisation des victimes de la Shoah (CIVS) à Berlin, pour ses recherches aux Landesarchiv de Berlin.

À Corine Defrance qui consacra, en 2005, la seule étude sur La Maison du Livre et participa aux recherches.

À Anne Vijoux pour ses recherches dans les bibliothèques françaises.

Enfin à Simon Srebrny, Irenka Taurek et Peter Wechsler, parents de Françoise Frenkel, dont les souvenirs et les archives personnelles nous ont été d'une aide précieuse.

CRÉDITS PHOTOGRAPHIQUES

Joy Sorman
Paris Gare du Nord

Zouc et Hervé Guibert
Zouc par Zouc, l'entretien avec Hervé Guibert

Composition PCA/CMB Graphic
Achevé d'imprimer
par Normandie Roto Impression s.a.s.
61250 Lonrai, en janvier 2016
Dépôt légal : janvier 2016
Premier dépôt légal : septembre 2015
Numéro d'impression : 1506132
ISBN 978-2-07-010839-8 / Imprimé en France

300824